Design Thinking & Decompose the Problem
디자인씽킹과 문제분해

박명철

저자 약력

박명철 교수 | africa@ikw.ac.kr

경운대학교 항공전자공학과 교수

경상국립대학교 컴퓨터과학과 공학박사

관심분야 : 컴퓨터프로그래밍, 항공시뮬레이션, 시각화, 헬스케어

본 교재는 교육부 및 한국연구재단의 대학혁신지원사업의 연구결과로 수행되었음.

디자인 씽킹과 문제분해

발행일	2021년 2월 15일 초판 1쇄
지은이	박명철
펴낸이	심규남
기 획	염의섭 · 이정선
표 지	신현수 | **본 문** 이경은
펴낸곳	연두에디션
주 소	경기도 고양시 일산동구 동국로 32 동국대학교 산학협력관 608호
등 록	2015년 12월 15일 (제2015-000242호)
전 화	031-932-9896
팩 스	070-8220-5528
ISBN	979-11-88831-74-6 (93000)
정 가	23,000원

PREFACE

본 교재는 사회 전반에서 발견된 문제에 대해 창의적이고 실효성 있는 해법을 도출하는 능력을 향상하여 확산적 사고력과 수렴적 사고력 강화를 통한 문제 해결 능력을 증진하기 위한 목적으로 집필되었다. 특히, 교양과정에서 배운 컴퓨팅사고 및 기초코딩 교과를 바탕으로 전공별 확산적 사고와 수렴적 사고를 강화할 수 있는 다양한 활동을 기반하여 이루어진다.

문제 해결을 위한 협업능력을 강화하기 위해서는 자신이 생각한 아이디어를 여러 구성원에게 표현하는 기술이 요구되는데, 자기 생각을 표현하는 활동으로 교과 진행이 이루어진다.

1장에서는 창의성 계발을 위한 다양한 이론적 방법에 대해 학습하고 2장에서는 확산적 사고를 위한 기법들과 활동으로 구성되었다. 브레인스토밍을 바탕으로 다양한 아이디어를 생산하는 기술적 방법에 대해서 학습한다.

3장에서는 많은 아이디어 중에서 문제 해결에 적절한 아이디어를 선정하는 수렴적 사고 기법에 대해 학습한다. 4장에서는 디자인씽킹 관점에서 문제를 해결하는 전 과정에 대해 학습한다. 특히, 디자인씽킹의 핵심적인 절차인 프로토타입 단계에 대한 종류와 수행 방법을 예제를 통해 익힌다.

학생들의 문제 해결 능력을 고취하기 위한 목적을 달성하기 위해 담당 교수님들의 열성적인 활동형 강의를 당부드리며 아무쪼록, 본 교과를 통하여 학생 여러분들의 사고 영역의 확장에 도움 되길 기원한다.

2021년 숭선골에서
저자

CONTENTS

CHAPTER 3   수렴적 사고로 생각 정리하기

CHAPTER 3   디자인씽킹으로 생각 확장하기

CHAPTER 1
창의적 문제해결

Design Thinking & Decompose the Problem

뉴노멀 시대를 위한 준비

1 시대적 패러다임의 변화

시대적 패러다임은 규칙적으로 변화하지 않는다. 또한, 예측 가능하거나 선형적인 일정한 패턴을 보이지도 않는다. 다소 비선형적이고 불규칙한 예상치 못한 방향으로 변화하고 있다. 이것이 뉴노멀(New normal)의 특징이다.

"시대적 패러다임의 변화로 인한 새로운 표준"

과연, 미래 시대를 준비하는 우리는 어떤 뉴노멀에 봉착하게 될 것인가? 지금 겪고 있는 뉴노멀의 패러다임보다 더욱 불규칙적일 것이라 예상한다.

새롭게 등장한 바이러스로 인하여, 모든 생활의 근간이 언택트(Untact)로 변하였다. 정상적이지 않은 비정상적인 모습이 일상이 되었으며, 이는 새로운 패러다임으로 자리매김하고 있다. 뉴노멀을 넘어, 보이지 않는 미래의 뉴노멀을 위해서 우리는 무엇을 준비해야 할까?

온라인 원격교육이 일반화되고 보조도구로 사용하던 ICT 환경이 교육의 주요도구로 활용되고 있다. 설령, 현재의 언택트 환경이 완화되어도 학습의 주요도구는 온라인교육일 수밖에 없는 이유이다. 그럼, 여러분은 어떤 학습 방법과 본질적인 문제 해결을 위한 역량을 가져야 하는가?

"세상에 더 이상 새로울 것은 없다"

더 이상 학습으로 세상에 존재하지 않는 새로운 것을 창조하기는 어렵다는 의미이다. 물론 여러분이 배우는 전공지식이나 교양 지식은 여러분의 미래 활동영역을 위한 기본적 자질과 역량을 배양하는 데 도움이 될 것이라 확신한다.

하지만, 앞서 언급한 뉴노멀 시대에서는 자신만의 단일 전공지식으로 주어진 복잡한 문제를 해결하기는 제한적일 것이다. 융합전공, 복수전공, 다전공 등을 통하여 다양한 전공지식을 습득하는 것도 좋은 방법이지만, 그 보다 우선되어야 할 요소가 문제 해결을 위한 사고 방법의 일상적 변화이다.

많은 학생의 학습 방법은 대부분 교수님의 지식적 내용을 수용하기 위한 노력으로 이루어진다. 하지만, 중간고사가 지나고 기말고사가 지나면 전공 교과의 지식은 아련한 잔상으로 남아있기 마련이다. 알기 위한 지식이 아닌, 실천하고 적용하기 위한 지식으로 변화하여야 한다.

2 교과 목표

본 교과의 핵심은 "생각하고 말하는 능력"을 통하여 통합적 사고를 기르고 "동료들과 협업하는 습관적 학습 방법"을 통하여 미래 시대의 뉴노멀을 대비하기 위한 기본 역량을 함양하는 것이다.

출처 : https://brunch.co.kr/@alexkang/39

우리 대학은 전환되는 패러다임에 적응할 수 있는 교육의 혁신적 변화를 모든 학생에게 전파하고 미래에 대응할 수 있는 능력을 배양시키고자 한다.

실증주의에 근간을 둔 행동주의 교육을 해석 주의에 근간을 둔 구성주의 교육으로 변화시키고자 한다.1 또한, 비판적 사고를 기반한 새로운 실용주의와 혁신적 학습 방법을 적용하고자 한다.

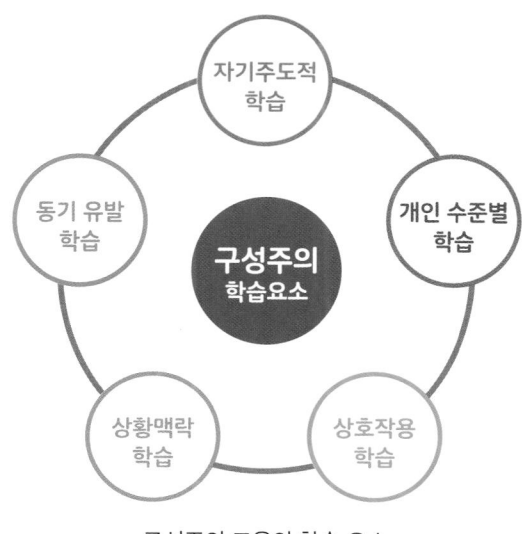

구성주의 교육의 학습 요소

그리고 동기유발을 위한 다양한 활동기반의 수업 진행을 통하여 팀원들과 상호협력을 통한 협업능력을 배양한다. 또한, 개인별 특성을 반영한 역할 배분을 통하여 참여도를 향상시키며 적극적이고 주도적인 자세를 통하여 실천적인 경험적 수업으로 진행된다.

하나의 요소에 집착하지 않고 주어진 문제를 해결하기 위한 광의적 상황 판단과 최선의 방안을 탐색하는 활동으로 이루어진다. 최종 결과물은 다양한 프로토타이핑 도구를 활용하고 가시화된 결과를 통하여 더 나은 방안을 위한 산출물의 환원적 절차를 이행한다.

이를 위하여 본 교과는 다음과 같은 기조로 수업을 진행한다.

---

1   행동주의는 결과로 주어지는 외적인 강화를 중시하는 반면, 구성주의는 학습자들이 능동적으로 학습의 과정에 참여하는 학습자의 활동이 주된 관심이다.

첫째, 수업은 교수자가 아닌 "학습자 중심"으로 이루어진다.

이는 교수자의 지식을 전제한 수동적 학습이 아닌 학습자 스스로가 자신만의 지식을 구축하고 더욱 능동적으로 참여할 수 있도록 하는 것이다. 학생은 자기 주도적 목표 및 계획을 설정하고 교수자는 참관자로서 문제 해결을 위한 실마리를 제공하는 역할을 한다.

더욱 적극적인 참여를 위하여 수준별 멘토링을 실시하며, 교수자는 주어진 문제를 위한 기본적인 지식수준에 따른 첨삭 활동을 진행한다.

결과물에 대한 성과는 학습자별 포트폴리오를 통해 정리되며 최종 성적평정에서도 가장 높은 비중을 차지한다.

활동기반의 학습자 중심 수업 현장

둘째, 도구의 사용, 측정된 자료 분석 등의 실존하는 요소가 아닌 측정할 수 없고 검증할 수 없는 미지의 요소로 학습의 범위를 확대한다.

즉, "학습자의 상상력이 수업의 주요 요소"가 된다는 것이다. 이는 학습자의 생각 깊이를 제한하지 않고 무한대로 확대하는 것을 의미한다.

재차 반복하지만, 본 수업은 지식을 습득하기 위한 목적보다 자기 생각을 표현하고 다른 사람들의 아이디어를 통하여 자신의 아이디어를 발전시키는 것이 주요 목표이다.

전공 학습능력은 아이디어를 표현하고 시제품을 제작하는 단계에서 사용될 수 있지만, 끝없이 사고하고 상상하는 생각의 패턴 변화가 가장 중요하다.

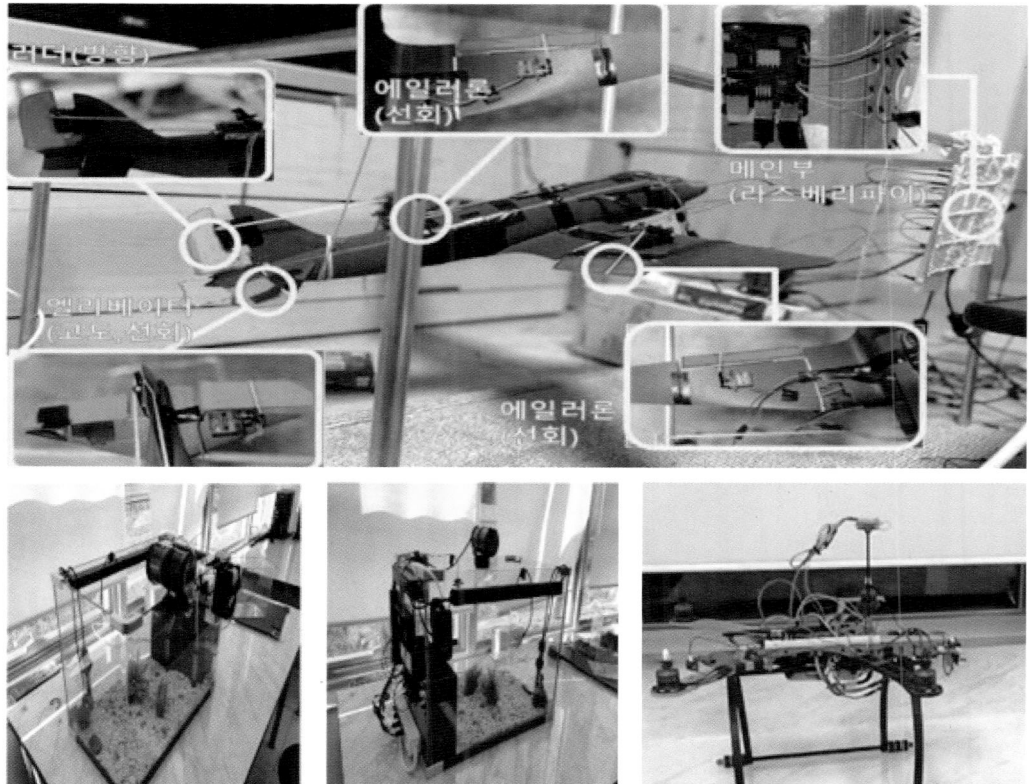

상상을 현실로(창의적 아이디어 다양한 프로토타입)
상단: 음성으로 제어 가능한 항공기 / 하단(좌): 지능형 수조 / 하단(우): 물체인식 드론

셋째, 학문적 경계를 인식하지 않는다.

편향되지 않고 보다 융합적이고 조화로운 교육을 위하여 다양한 사고의 결과물을 인정하는 습관을 기른다. 이를 통하여 문제의 본질적 요소에 집중하며, 세상의 다양한 문제를 해결할 수 있는 "창의적인 사고"를 하게 되는 것이다. 또한, 이는 자아 중심적 사고를 탈피하여 인간과 우리라는 사회적 책임성을 가진 사회인으로 성장하는 밑거름이 될 것이다. 학문은 끊임없는 분화와 통합의 과정을 거치면서 발전한다. 여러분의 사고도 보다 확장적인 패턴으로 변화해야 한다.

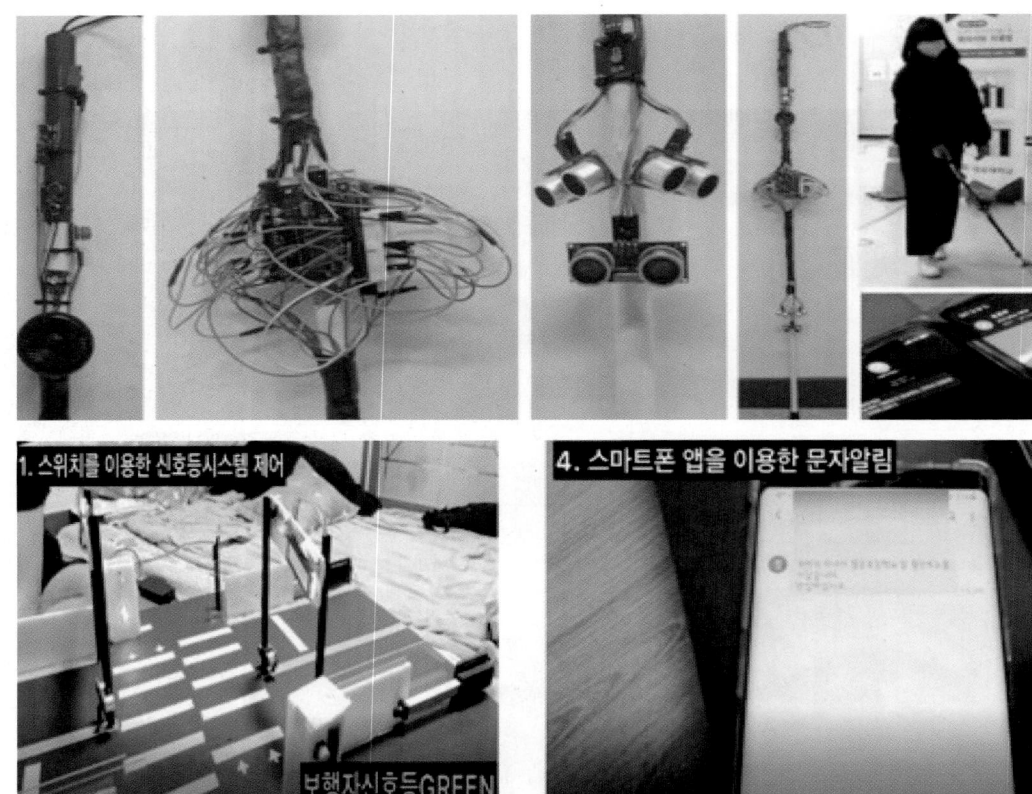

학문을 경계를 넘어, 융합적 사고
상단: 시각장애인을 위한 스마트 지팡이(공학계열과 보건계열의 협업)
하단: 인공지능형 보행자 보호 및 알림 시스템(전자공학+안전방재)

넷째, 더 이상 수업 시간에 주변인은 존재하지 않는다.

본 교과는 팀 프로젝트를 기반으로 진행되지만, 각자의 러닝 포트폴리오를 의무적으로 작성해야 한다. 다양성을 인정하여 포트폴리오에 정형화된 서식은 제공되지 않는다. 자신만의 히스토리를 만들어 각자가 주연이 될 수 있는 수업으로 진행된다. 이를 위하여 교수자는 학습자의 사고를 촉진하고 참여를 독려하기 위한 코칭을 시간을 의무적으로 가진다.

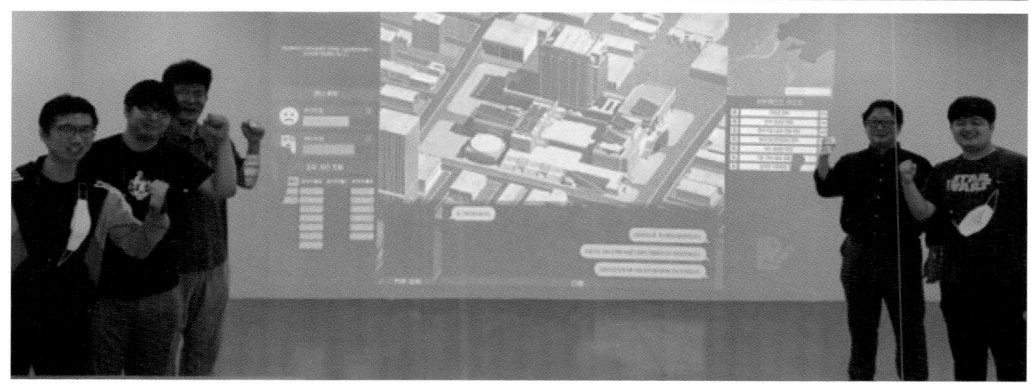

모두가 함께하는 팀프로젝트
상단: 팀프로젝트를 통한 대외적 공모(멀티미디어학과)
하단: 재난안전은 우리 손으로(안전방재공학과)

SECTION 02 창의적 사고

1 디자인 씽킹

"생각하고 말하는 능력", "협업하는 습관적 학습방법"을 도모하기 위하여 본 교과는 디자인 씽킹(Design Thinking)이라는 문제 해결을 위한 사고 방법을 근간으로 이루어진다. 디자인 씽킹은 복잡한 문제를 풀어가는 일종의 통합적 사고 방법이다. 통합적 사고는 문제 풀이를 통한 하나의 해결책을 강구하는 것이 아니다. 선다형이나 양자택일이 아닌 기존의 해답을 융합하여 창의적인 결과물을 도출하는 것이다. 이러한 통합적인 사고를 위하여 디자인씽킹은 확산적 사고와 수렴적 사고를 반복한다.

출처 : https://blog.lgcns.com/1747

생각(사고)은 차이를 만들지만 표현하지 못하면 아무런 소용이 없다. 졸업 이후, 직무를 담당하는 현장에서도 자신의 견해와 다른 사람의 의견을 수용하고 공유하는 공동체적 기초 역량 중에 중요한 것이 생각의 표현이다.

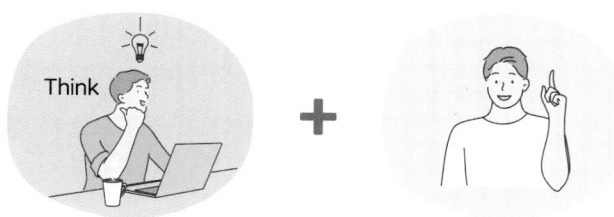

생각하고 말하는 능력이 중요하다

여러분의 생각을 표현할 수 있어야 한다. 언변이 화려하고 설득력 있는 발표력을 목적으로 하지는 않는다. 모호하고 추상적이지만 자기 생각을 다른 사람에게 전달할 수 있는 역량의 향상은 분명, 자신의 뇌를 자극하고 활동력을 증진하여 보다 긍정적인 사고의 결과물로 발전할 수 있는 토대가 될 것이다.

우리 대학은 왜? 디자인 씽킹(Design Thinking)이라는 이수 구분을 만들어 교양과 전공의 통합교과과정을 운영할까?

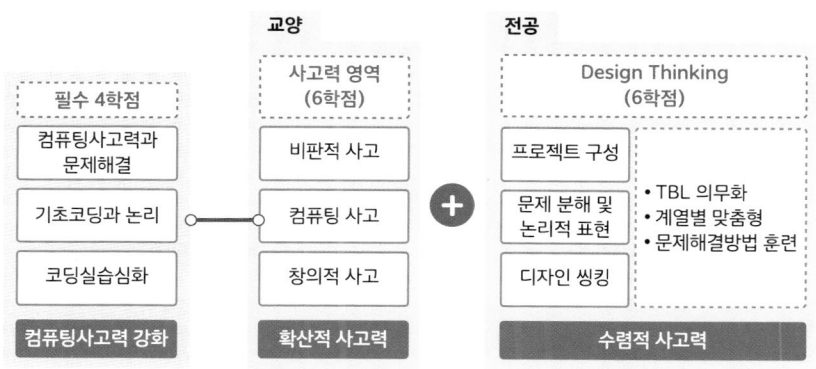

디자인 씽킹 이수체계(경운대학교)

여러분은 이미 교양 교육과정에서 컴퓨팅사고와 SW이해, 기초코딩과 문제 해결 교과를 통하여 디자인 씽킹 교육과정을 진행한 바 있다. 정부는 이미 2018년부터 4차 산업혁명에 대비한 창의력을 갖춘 인재를 양성하기 위한 혁신적 교육과정 도입의 의지를 보이고 있다.

새로운 시대적 변화를 의미하는 '산업혁명', 4차 산업혁명은 2016년 '세계경제포럼'에서 언급된 이후 산업 및 교육 전반에 주요 화두가 되었다. 특히, 교육환경에서 가장 크게 대두되는 것이 "창의력을 갖춘 미래인재 양성"이다.

4차 산업혁명에서 말하는 주요 변화적 기술은 사물인터넷(Internet of Things), 빅데이터, 인공지능, AR/VR, 자율지능 시스템, 인간형 로봇 등의 첨단 디지털 기술의 초연결 융합기술로 대변된다. 즉, 사람과 사물 그리고 장소와 다양한 기술적 요소가 결합된 인공지능 기반으로 연결됨을 의미한다.

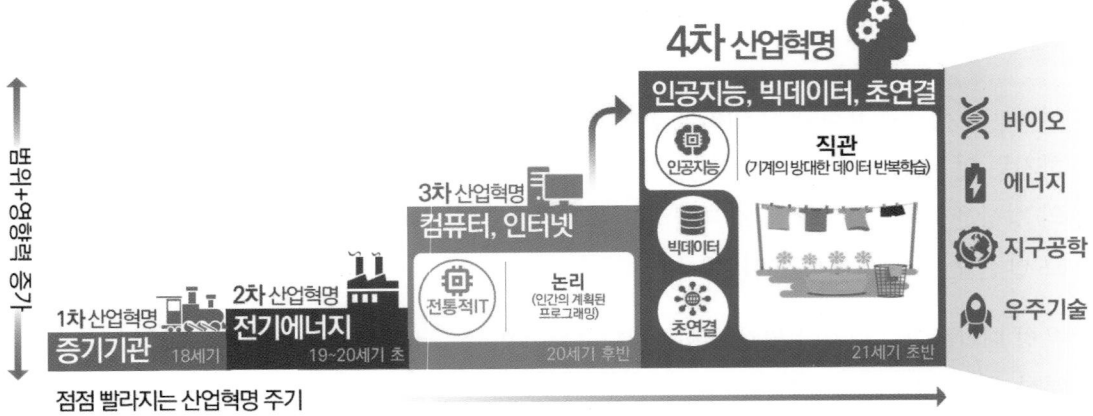

출처 : https://www.4th-ir.go.kr/

4차 산업혁명이 본격적으로 도래하면 사회 전반의 패러다임이 전환될 것이고 시대에 걸맞은 역량을 갖춘 인재를 양성해야 한다는 결론이다.

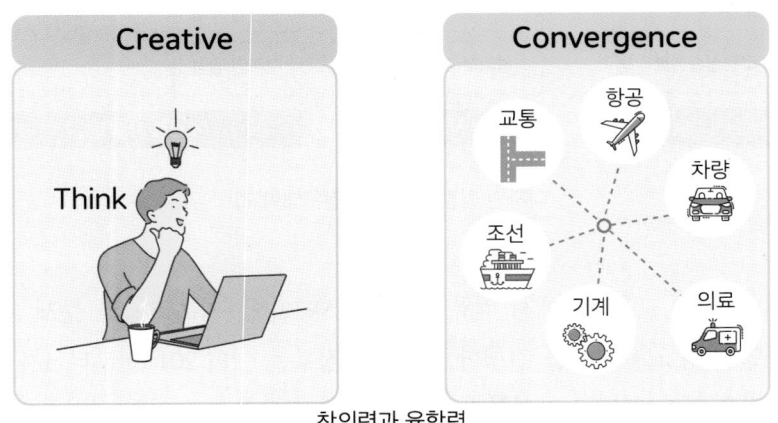

창의력과 융합력

다시 말해, 로봇과 인공지능이 할 수 없는 인간만의 고유한 역량을 길러야 한다는 것이다. 바로 "창의력"과 "융합력"이다.

창의력 패러다임의 전환에 가장 대표적인 예가 유튜버이다. 인터넷이란 환경이 마련한 직업적 요소가 아닌, 환경적 요소에 인간의 창의적 활동이 더해져서 만들어진 직업이라 할 수 있다.

창의력 패러다임의 대표적인 예(유튜버)

창의력은 선천적인 요인보다 후천적인 교육으로 계발할 수 있다. 이를 위하여 우리 대학은 모든 학생을 대상으로 창의력 신장을 위한 교육과정을 운영하고 있는 것이다.

교양 교육의 컴퓨팅사고와 기초코딩을 통한 논리적 사고를 바탕으로 본 교과에서 구체적인 창의력 계발을 위한 활동을 할 것이다.

2 창의력에 대한 이해

창의력은 인간이 가진 내적 능력 중에 가장 불확실하여 측정 불가능하지만 가장 매력적이고 파급력이 큰 능력 중 하나이다.

이러한 이유에서 명확한 **창의력의 개념적 정의**는 오히려 복잡하고 모호한 의미적 장애 요소를 가지고 있다. 아이젠크(eysenck)는 심리학적 접근을 통하여 "**새로운 관계를 보는 능력**", "**기존의 사고패턴에서 일탈하는 능력**"이라고 정의하고 있다. 대부분의 정의적 기술에서 빠지지 않는 요소가 바로 "새로움"이라는 것이다. 그래서 창의력을 "새로운 것을 생각해 내는 힘"이라고 할 수 있다.

아이젠크 심리학사전
- -

- 새로운 관계를 보는 능력
- 비범한 아이디어를 산출하는 능력
- 전통적인 사고패턴에서 일탈하는 능력

창의력의 개념(아이젠크)

또한, 이를 확장하면, **창의력은 "문제를 해결할 수 있는 기본적 태도"**라 할 수 있다. 창의
력은 항상 무에서 유를 창조하는 것이어야 하는가? 그럴 필요는 없다. 기존에 자신이 알고
있는 지식이나 경험을 바탕으로 이들을 유용하게 결합하여 새로운 것을 만들어 될 수 있기
때문이다. 즉, 창의력은 융합력과도 크게 다르지 않다.

창의력의 인지적 영역

물론, 다양한 지식과 경험이 기반된다면 보다 가치 있는 융합적 사고를 할 수는 있을 것이
다. 학제 간 융합적 연구가 활발한 이유도 이러한 융합력을 극대화하기 위한 일환으로 볼
수 있다.

새롭고 유용한 결과를 얻기 위한 **창의력은 크게 인지적, 정의적, 사회적 영역 요소로 구분**
할 수 있다. **인지적 영역**은 문제를 해결하기 위한 기존 지식과 독창적 응용을 통한 종합적

운 문제 해결을 위해 상반되는 아이디어와 조건들을 모두 이용하여 결과물을 도출하는 능력이라고 한다.

디자인 씽킹의 핵심은 수렴적 사고와 확산적 사고의 순환이 핵심이다.

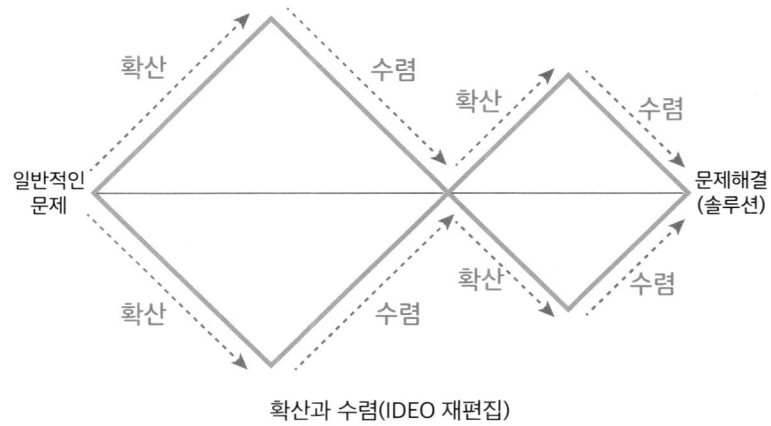

확산과 수렴(IDEO 재편집)

확산적 사고는 특정한 문제에 대해 다양한 아이디어를 제공하는 단계이며 이를 통하여 다각도의 접근을 통한 수평적 사고를 확장시켜 준다. 수렴적 사고는 문제에 대한 최선의 결과를 결정하는 단계를 의미한다. 결과적으로 디자인 씽킹은 확산적 사고를 통하여 다양한 시각에서 가능한 모든 해를 도출하여 수렴적 사고를 통하여 최선의 결과를 찾아내는 과정이라 할 수 있다.

5 디자인 씽킹에 대한 IDEO[2]의 5단계

- 공감하기(Empathize) : 해결할 문제가 있다.
  어떻게 이 문제에 접근할 것인지에 대한 문제의 이해, 조사 준비, 영감 등을 수집하는 단계

- 문제정의(Define) : 무엇인가 배웠다.
  어떻게 해석할 것인지에 관한 토론, 의미 찾기, 기회를 포착하는 단계

---

2 IDEO는 디자인 그룹으로 1978년 David Kelley design을 설립한 David Kelly가 Moggridge Associates, Matrix, ID Tow를 1991년 합병하여 설립하여 디자인 파워브랜드가 된다.

- 아이디어 내기(Ideate) : 기회를 포착했다.
  무엇을 만들어 낼 것인지에 대한 아이디어 만들기 및 다듬기

- 시제품 만들기(Prototype) : 아이디어가 있다.
  어떻게 만들어 낼 것인지에 대한 프로토타입 만들기, 피드백 받기 등의 단계

- 발전하기(Test) : 새로운 것을 시도했다.
  어떻게 발전시킬지에 대한 평가, 다음 계획을 세우는 단계

디자인 씽킹의 5단계(IDEO)

6 디자인 씽킹 3가지 공간(Tim Brown)

- 영감(Inspiration)

  관찰, 공감, 협력을 통한 통찰력의 공간

- 아이디어(Ideation)

  확산적 사고와 수렴적 사고 및 통합적 사고 과정을 통해 구체적인 아이디어를 얻는 공간

- 구현(Implementation)

  디자인 씽킹의 가장 중요한 단계 중의 하나인 프로토타입을 통한 아이디어 검증과 더불어 개선을 위한 작업을 반복하는 공간

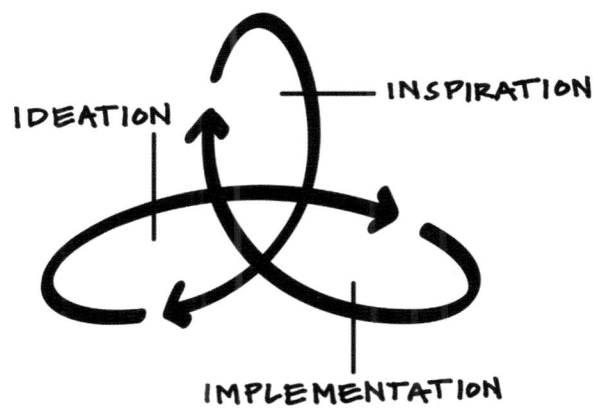

출처 : https://designthinking.ideo.com/

SECTION 03 확산적 사고와 수렴적 사고

1 인간의 정신 능력

확산적 사고는 문제 발견이나 아이디어 발전을 위한 다각적인 산출 사고이고 수렴적 사고는 구체화나 결과 도출과 같이 문제에 대한 해답을 찾는 도출 사고를 의미한다.

창의력은 우리가 흔히 말하는 지능지수와는 크게 다르다. Osborn이 말하는 인간의 정신 능력은 사물에 대한 관찰과 주의를 집중하는 능력에 해당하는 흡수력, 기억하고 재생하는 능력인 기억력(파지력), 판단과 분석을 위한 추리력, 사실을 예견하고 탐구하여 아이디어를 산출하는 능력인 창의력으로 분류하였다.

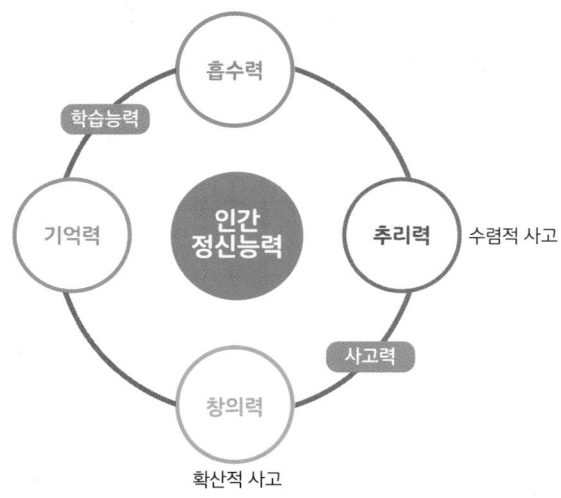

인간의 정신 능력(오스본)

전자의 흡수력과 기억력은 일반적인 학습활동에 필수적이 요소이며 후자의 추리력과 창의력은 고차원적인 정신 능력으로 사고력에 해당한다. 창의력이 문제에 대한 해결 실마리를 제공하는 것이라면 추리력은 이러한 아이디어를 실제 현실에 적용하는 능력을 의미한다.

창의력은 산출물이 아이디어라면 추리력은 산출물이 판단이라는 것이 차이점이다.

또한, 지능지수가 수렴적 사고에 해당하는 추리력을 강조하지만, 창의력은 확산적 사고를 강조하는 것이 큰 차이점이다. 일반적으로는 추리력과 창의력은 정 비례적 관계이지만 상반된 관계인 학생들도 다수 있다.

본연적으로 가진 지능지수를 변화시키기에는 어려움이 있으나 다양한 접근을 통한 후천적 개발을 통하여 창의력은 신장시킬 수 있다. 또한, 이러한 창의력은 내적 에너지에 포함되는 자존감, 미래지향적 태도, 리더십 등의 성격적 특성을 변화시키는 계기가 될 수 있다.

"다양한 아이디어를 내 보세요"   ➜   확산적 사고
"아이디어 중 최선의 방법을 선택해 보세요"   ➜   수렴적 사고

지능지수가 높은 사람만이 창의적인 아이디어를 도출하는 것은 아니다. 하지만 실제 적용 가능한 추리력이 높은 결정권자는 여러 아이디어 중에 하나를 결정할 수 있다.

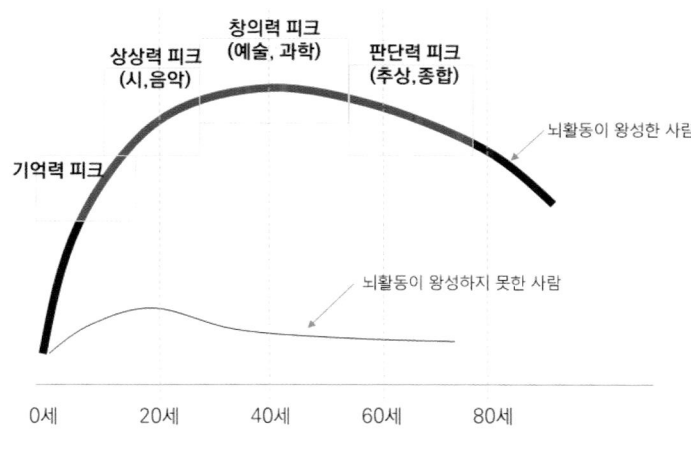

정신 능력의 변화(J. W. 스틸의 연구결과)

이때 결정권자도 중요하지만, 결정권자조차 생각지 못한 기발한 아이디어를 내는 확산적 단계에서의 창의력이 높은 의견자의 중요도 또한 매우 크다고 하겠다.

또한, 창의력이 높은 사람은 다양한 사고를 통하여 기존 규범이나 환경적 제한성에 대한 비판적 사고의 성향도 높게 나타나는 것이 일반적이다.

2 확산적 사고

현상을 다각적으로 탐색하고 고정 관념을 탈피하여 문제에 대한 새로운 해답을 찾기 위한 아이디어를 도출하는 사고력을 의미한다. 앞서 언급한 창의력의 인지적 영역이 대부분 확산적 사고력과 관련된 요소이다. 또한, 창의적 사고와 동의어처럼 사용되고 있으며 본 교과의 많은 활동이 확산적 사고를 신장하는 데 목적이 있다. 또한, 확산적 사고는 생각을 펼치는 행위로서 우리가 배운 것을 논리적으로 설명할 수 있는 능력과 배운 것을 실제 현실에 적용할 수 있는 능력을 길러준다. 이와 더불어 유창성, 융통성, 민감성, 독창성, 유추성 등이 관련된 사고 성향 및 사고기능을 가진다.

- 사고기능 : 유창성, 융통성, 독창성, 정교성
- 사고성향 : 호기심, 민감성, 자발성, 근면성, 개방성

사고기능과 성향적 분류에 따라 아이디어를 도출하는 확산적 사고 영역과 다수의 아이디어에서 최선의 방안을 선택하는 수렴적 사고 영역으로 구분될 수 있다.

확산적 사고 영역에 관련된 기능과 성향은 유추성, 독창성, 민감성, 유창성, 융통성이 있으며, 수업에서 가장 중요한 요소는 독창성이라 할 수 있다. 독창성은 구성원들의 유추나 융통, 유창성 등을 자극할 수 있는 자극체가 될 수 있기 때문이다.

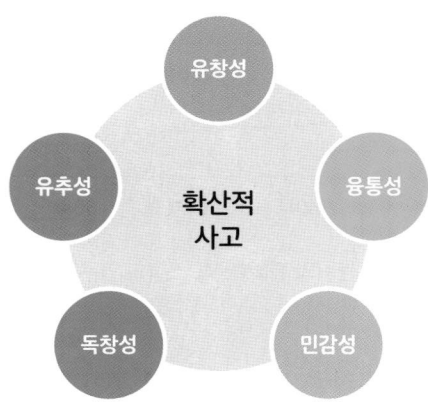

확산적 사고가 가지는 사고의 기능 및 성향

확산적 사고를 위한 5감 활용법은 다음과 같다.

- 시각 : 눈에 보이는 것이 진실일까? 눈이 보이지 않은 사실과 무엇이 다를까?
- 청각 : 소통이 안 되는 이유는 무엇일까?
- 후각 : 이것은 인위적인 향일까? 자연 발생 향일까? 이 상황은 우리에게 좋은 것일까? 나쁜 것일까?
- 미각 : 이 맛의 성분은 어떻게 구성되어 있을까? 이 상황을 경험할 때의 위험 요소는 어떤 것이 있을까?
- 촉각 : 역치를 느끼려면 어느 정도의 힘이 있어야 할까? 이런 변화에 대해 사람들은 좋아할까? 싫어할까?

이를 위한 기법에는 **브레인스토밍, 브레인라이팅, 속성 열거법, 스캠퍼, 기회의 원(강제연결법), 마인드맵** 등이 있다.

3 수렴적 사고

아이디어의 가능성을 조직화하고 분석하여 다듬고 개발하여 최선의 대안을 도출하는 사고력을 의미한다. 앞서 언급한 창의력의 사회적 영역이 대부분 수렴적 사고력과 관련된 요소이다. 확산적 사고가 생각 펼치기라면 수렴적 사고는 생각 모으기에 해당한다. 사고의 기능 및 성향 중에는 정교성, 논리성, 비판성, 분석성, 종합성이 포함된다.

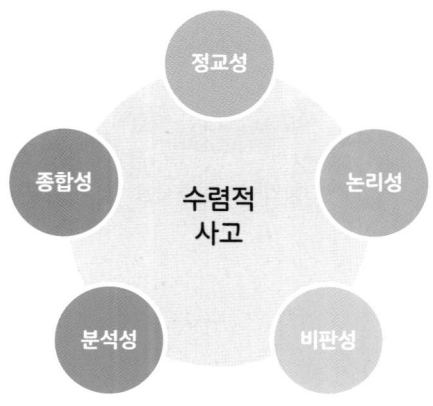

수렴적 사고가 가지는 사고의 기능 및 성향

관련 기법으로는 PMI, 스크리닝 매트릭스, 하이라이팅 기법, 평가 행렬법, PCA, ALU 기법 등이 있다.

4 우리 뇌에 흔적 남기기

다양한 생각과 경험, 상황, 토론, 토의, 논쟁 등이 필요한 이유는 뇌에 흔적을 남기기 위해서이다. 뇌에 흔적이 있어야 이를 기반으로 새로운 사고를 할 수 있기 때문이다.

인간의 뇌는 학습이나 경험을 통하여 뇌에 물리적, 화학적 흔적을 남긴다. 뇌 신경세포인 뉴런의 수와 연결성을 증가시키는 것이 물리적 흔적이며 신경세포 간 정보전달을 위한 신경전달물질이 많아지는 것을 화학적 흔적이라고 한다.

이러한 흔적을 남기기 위해서는 다양한 창의력 신장을 위한 개인적인 노력과 도출된 아이디어를 평가 및 선정하기 위한 해당 분야의 전문성이 요구된다.

먼저, 이 교과에서는 개인적인 노력으로 아이디어를 창출하는 역량을 배양하는 것이 주요 목표이다.

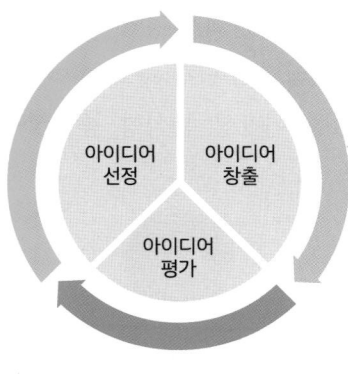

창의력의 상호작용

[창의력의 상호작용]

- **아이디어 창출** : 개인적인 역량이 요구되는 영역
- **아이디어 평가** : 분야의 전문성이 요구되는 영역
- **아이디어 선정** : 창출과 평가 단계의 순환으로 강화되는 영역

세계적인 혁신적 CEO들의 행동유형을 분석한 연구에 따르면[3], 다섯 가지의 주요 특징을 언급했으며 누구나 후천적으로 강화할 수 있는 요소임을 기술하였다.

1. 질문 : 끊임없이 의문을 제기한다. 그리고 충분한 시간을 할애하여 의문과 답을 기록한다.
2. 관찰 : 당사자 입장이 아닌, 제3의 인물의 관점에서 현상을 면밀히 관찰한다. 관찰한 결과를 기록하고 관찰 이전의 기대 목표와의 차이를 비교 분석한다.
3. 실험 : 아이디어에 대한 프로토타입과 파일롯 타입의 반복적인 실험을 시행한다. 진취적이며 개방적이고 실패를 격려하고 재도전을 위한 힘을 불어넣는다.
4. 교류 : 동일 집단이 아닌 전혀 다른 분야의 전문가와 교류할 수 있는 시간과 공간을 상시 마련한다. 동일한 생각의 울타리에서는 절대 새로운 아이디어가 나오지 않음을 실천한다.
5. 결합 : 여러 아이디어와 의견들을 상호 연결하고 조합하는 재구성의 과정을 지속한다. 타 영역의 경험과 지식이 우리의 영역에서 큰 효과를 발휘한다.

5 창의력 향상

① 개인적인 노력

창의력은 지식과 정보에 대한 수동적 간접 경험보다 사실 확인을 위한 실험과 같은 직접 경험이 도움이 된다. 즉 **실천에 의한 학습(Learning by Doing)**은 학습자가 더 능동적이며 자발적인 참여를 통하여 앞서 언급한 뇌의 흔적을 강화하는 것이다.

단편적인 예지만, 어린 시절 자전거 타는 법을 책으로 배우지는 않았다. 비틀대고 넘어지면서 배웠고 이제는 아무런 거부감 없이 자전거 타기를 즐긴다. 책으로만 배웠다면 즐기거나 성취의 기쁨을 갖지 못했을 것이다. 창의력은 자신이 성취한 결과물과 다양한 경험을 즐기는 활동에서 비롯된다.

3　The Innovator's DNA : Mastering the Five Skills of Disruptive Innovators (by Jeffrey H. Dyer, Hal B. Gregersen, Clayton M. Christensen), Publication date: Jul 19, 2011.

창의력은 "성취와 즐김" 활동에서 비롯된다

실질적인 창의력 증진법으로는 주도적 활동이 기반되는 보드게임이나 퀴즈, 다양한 예술적 취미나 미술과 같이 창작이 기반되는 활동, 독서나 글쓰기 등이 도움이 될 수 있다. 또한, 상상이나 직접 관찰한 것을 메모하는 습관도 창의력 신장에 큰 도움이 될 수 있다. 인간의 오감은 유기적인 연결구조로 긴밀하게 상호작용하는 특성을 가진다.

눈으로 본 것을 뇌로 인지하는 단순한 연결구조보다 눈으로 본 것을 손으로 기술하고 생각을 정리하여 입으로 말하는 강한 연결구조가 뇌의 활동성과 또 다른 발상의 동기가 될 수 있는 뉴런의 상호작용성을 증대시킨다.

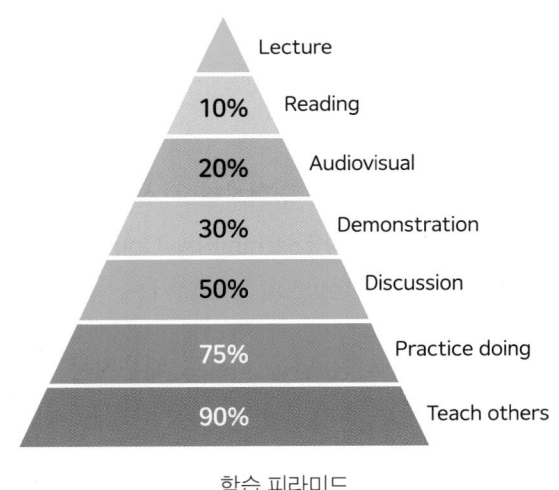

학습 피라미드

출처 : National Training Laboratories, Bethel, Maine

인간은 독립된 자극체이다. **스스로의 내부 자극보다 외부에서 유입되는 자극에 더욱 적극적인 반응**을 한다. 학습은 가장 일반적인 외부자극이지만 자극의 강도는 대체로 약한 것이 문제이다. 이 자극을 강하게 증폭시킬 방법이 "말하기", 즉 토론과 토의 등의 활동이며 유명대학에서 "말하기 수업"을 강조하는 이유이기도 하다.

물론, 이러한 "말하기 수업"의 본질적인 목적은 타인과 소통하기 위한 방법론적인 부분을 강조하고 있지만, 자신에게 더 큰 자극을 주기 위한 목적으로 "말하기"와 "듣기", "생각하기", "다시 말하기"를 활용할 수 있다.

생각하고 말하기를 통하여 나에게 자극 주기

일반적으로 말하기보다 잘 듣는 "경청"의 자세를 강조하지만, 창의력 신장을 위한 자극요인의 측면에서는 더 많은 말하기를 통해 강도가 약한 자극체를 증폭시킬 필요가 있다.

말하는 사람이 듣는 사람보다 뇌 흔적의 강도가 크다

이 교과의 목적은 말투나 대화 기법을 갈고 닦는 것을 목적으로 하지는 않는다. 물론, 부수적인 효과는 될 수 있지만 주목적은 여러분이 생각하는 것을 표현하는 것이다.

그 외 의식적 측면에서는 사실에 순응하지 않고 질문을 통한 지식 호기심에 발원된 관심과 문제 해결을 위한 노력에 해당하는 자기 주도성, 남들의 평가나 시선에 신경 쓰지 않고 의견을 개진하는 자신감, 실패를 두려워하지 않고 끊임없이 도전하는 도전정신, 새로운 변화와 마주할 수 있는 개방성이 필요하다.

② 환경적인 노력

개인적 역량과 노력만큼 중요한 것이 주위의 환경과 사회적 지지를 기반한 창의력의 중요성에 대한 일반화된 인식이다. 이를 위하여 대학 차원에서 아래와 같은 환경적 노력을 기하고 있다.

첫째로 창의성 교육의 마인드를 확산을 위한 교육과정의 편성이나 운영이 선제 되어야 한다. 이를 위해서는 대학은 교양과정으로 "컴퓨팅사고와SW이해", "기초코딩과문제해결" 교과를 의무적으로 이수하도록 규정화하였다.

둘째는 주변 환경의 조성이며 이는 학생과 학과에서 협조가 되어야 할 노력이다. 대학이나 학과에서 충분한 창의적 발상을 위한 환경조성과 의견을 개진하고 평가함에 있어 이타적이지 않고 자유로운 수업 분위기 등의 물리적 환경이 조성되어야 한다. 이를 위하여 전공별 교과개발, 토의 공간, 활동 재료와 기자재 제공 등의 관련 지원이 요구된다.

셋째는 창의성 훈련 및 육성을 위한 다양한 비교과 프로그램의 개발과 시행을 통하여 상시성 있는 환경적 요소가 요구된다.

넷째는 창의력 신장을 평가하는 도구를 개발해야 한다. 기존 기초학력, 학습유형진단, 인성진단과 더불어 창의력 진단을 위한 평가도구의 개발이 시급하다.

6 이 교과를 진행하면서 지켜야 할 원칙

1. 개방적 수용 원칙

   의견 교류를 위한 활동 중 개방적인 대인관계의 분위기를 유지한다. 개개인의 의견이나 행동, 경험 등을 자유롭게 표현할 수 있는 존중 하고 수용하는 자세

2. 다양성 인정 원칙

   특정 문제에 대한 선입견을 품지 않고 제약 없이 사고하고 지각하여 다양한 접근을 시도하는 자세

3. 판단보류의 원칙

   사고와 상상을 억제하는 요인 중 하나가 성급한 평가이다. 가치가 있을지, 쓸모가 있을지는 최종 단계에서 이루어진다. 아이디어를 표출하는 단계에서는 자유로운 상상이 이루어지도록 평가를 지연한다.

4. 통합성의 원칙

   하나의 아이디어를 평가 결과로 도출하지 말고 가능하면 서로 관련된 아이디어를 종합하여 결론에 도달하게 한다. 문제해결능력은 창의력+융합력(결합)이다. 즉, 창의력의 본질적 특징이다.

마음을 열어라. 생각이 열린다.

내가 꿈꾸는 진로는 언제까지 유지될까?

4차 산업혁명 시대의 직업군 변화를 서로 이야기하고 내가 꿈꾸는 진로와 관련된 직업이 언제까지 유지될 수 있을지 작성해보자.

제 목	내가 꿈꾸는 직업은 언제까지 유지될까?		
성 명		학번	
일 자		학과	
나의 진로	직업(군)		진로의 유지 가능성(이유)

SECTION 04 창의력 계발

1 찰스 칙 톰슨의 창의력 계발 법칙

창의력 신장을 위한 특별한 법칙은 존재하지 않는다. 인간 두뇌 활동의 산출물이기 때문에 각기 다른 사고방식을 전제한다면 법칙이란 의미가 없다. 하지만, 오랫동안 연구의 결과에 따른 일반화된 현상을 고려한다면 자신만의 창의력 신장에 도움은 될 수 있을 것이다.

본 절에서는 찰스 칙 톰슨의 창의력 계발 법칙과 더불어 아이디어 발상을 위한 생각하기 위한 방식에 대한 변환 요소를 소개한다.

1. "가능한 많은 아이디어를 생각하고 나쁜 것을 하나씩 버리고 마지막에 남는 아이디어가 최상이다."

   삶은 선택의 연속이다. 모든 선택은 항상 후회를 동반하기 때문에 이상적인 아이디어를 선택하는 것은 누구나 어렵다. 여러 아이디어 중에서 가장 후회(문제점)가 작을 것 같은 요소의 선택이 최상이다.

Best IDEA? No! Many IDEA!

최고의 아이디어는 많은 아이디어에서 비롯된다

2. "진보적이고 혁신적인 아이디어는 단 10분을 앞서가는 아이디어이다"

대단한 목적을 염두에 두면 창의적 뇌 활동에 장애를 초래한다. 몇 년이나 몇십 년을 앞서가는 기술이 아닌, 지금 당장, 1분 1초라도 앞서가는 작은 진보를 꿈꾸며 생각해야 한다. 십 리도 한 걸음부터.

혁신적 아이디어는 지금 당장을 앞서가는 기술에서 출발한다.

3. "두 번째 옳은 해답에 집중하라."

최상의 해답은 항상 많은 제약과 자원을 요구한다. 현실성이 높은 해답은 차선책에서 찾을 수 있다.

현실성과 창의성의 합산점수는 2등이 높다

4. "생각을 멈추고 잠시 휴식하라."

생각은 작은 실마리에서 시작된다. 시작된 생각은 실마리를 따라 진화하거나 발전하는 것처럼 느껴진다. 하지만, 실마리는 "뫼비우스의 띠". 진전이나 성공치 못했다면 잠시 휴식의 시간을 가져야 반복적인 순환에서 벗어날 수 있다. 시간적 소요를 집중과 혼동하지 마라.

뇌세포도 생명이다. 휴식의 시간을 가져라.

5. "생각은 휘발성이다. 무조건 적어 두어야 한다."

좋은 아이디어가 떠오르면, 즉각 메모하라. 여러분의 뇌는 생각보다 지속성이 짧다. 생각의 히스토리를 남겨두어야 다음을 위한 발전을 도모할 수 있다. 또한, 메모지의 글자 속에서 기발한 아이디어가 생겨날 수도 있다. 돌아서면 배고프고, 10초 전의 생각도 알지 못한다. 머릿속의 지우개처럼.

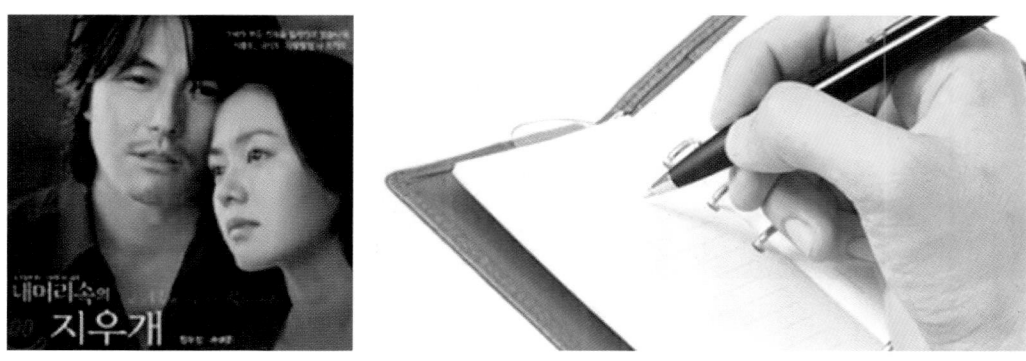

아이디어는 영화 속 기억처럼 지워진다. 메모는 저축과 같다.

6. "비웃음을 받아라. 당신이 앞서간다는 증거이다."

당신의 아이디어가 틀렸다고, 당신의 아이디어는 형편없다고, 비웃고 조롱하고 무시하게 하라. 당신이 남들보다 생각의 폭이 넓다는 증거이기 때문이다. 훌륭한 아이디어는 상상치 못한 엉뚱함에서 비롯되고 남들이 버린 아이디어에서 탄생하는 경우가 많다. 상대방의 평가를 절대 두려워하지 마라.

현실과 다른 사람의 생각 틀에서 벗어나라

7. "해답은 항상 그 자리 있었다. 찾기 위한 올바른 질문을 못 했을 뿐이다."

해답이나 방법적인 도구를 찾는다고 생각지 마라. 오히려 해답이 있는 자리에서 멀어질 수 있다. 여러분은 해답을 찾기 위한 질문에만 집중하라. 아이디어는 질문의 다른 표현일 뿐이다.

질문이 없으면 변화가 없다. 없는 질문도 만들어 내라.

8. "훌륭한 해답은 바보 같은 질문에서 시작된다."

바보 같은 질문은 현실을 부정하고 산 너머의 계곡을 보는 것과 같다. 바보 같은 질문은 천 리 밖을 보는 천리경이다. 경험치 못한 미래를 위한 답을 찾는다면 가장 바보스러운 질문을 생각해 보라. 역설적이지만, 결과적으로 "바보 같은 질문은 없다."

May I ask a stupid question ?

That's actually a very good question !

세상에 바보 같은 질문은 존재하지 않는다

9. "고정 관념에서 벗어나라. 물구나무서서 세상을 보라"

근원적인 시각으로 문제에 접근하면 항상 현재보다 나은 개선책은 한계를 가진다. 초능력자가 되어라. 어벤져스 타노스의 무한 장갑을 가졌다고 생각해 보라. 아이디어의 깊이와 넓이가 커질 것이다.

당신의 한계를 극복하라. 아이디어의 한계를 넘어설 것이다.

10. "아이디어 탐색전에 문제가 이미 해결되었다고 생각해 보라"

해결하고자 하는 문제가 이미 해결되었다고 가정해 보라. 그리고 어떻게 해결되었지? 해결되기 위해서 이 요소는 어떻게 구조화를 시켰지? 앞에서 달려가는 것보다 결과 속에서 질문하는 것이 조금은 예측이나 가능성의 범위가 넓어지는 효과를 가질 수 있다.

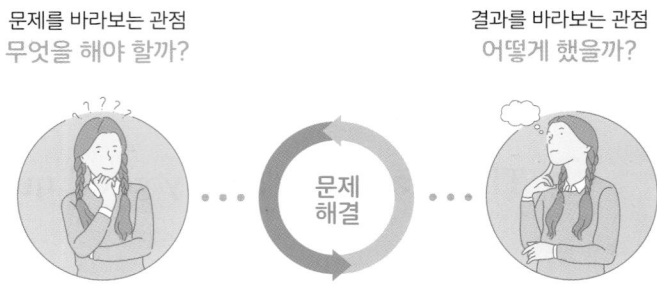

이미 문제가 해결되었다고 생각하고 결과를 바라보는 관점으로 사고

11. "가상의 장소에 있다고 상상하고 생각해 보라"

자신의 현재 위치가 아니고 우주, 바다, 비행기, 기차, 하늘, 무인도, 빌딩 꼭대기, 무덤 속 등 상상의 장소로 순간 이동하여 문제를 보라. 그러면 생각지 않았던 경험을 하게 될 것이다.

상상의 공간으로 이동해 보라. 바라보는 시각의 차이가 사고를 결정한다.

12. "자연에게 물어봐. 모든 문제는 자연의 귀속물이다"

자연은 이 문제를 어떻게 해결할까? 이미 자연 속에서는 해결된 문제일 수도 있다. 인간도 자연의 귀속물이다. 인간보다 월등한 자연은 답을 알고 있다. 도마뱀, 거미, 돌고래, 독수리는 지금 여러분을 비웃고 있을지 모른다.

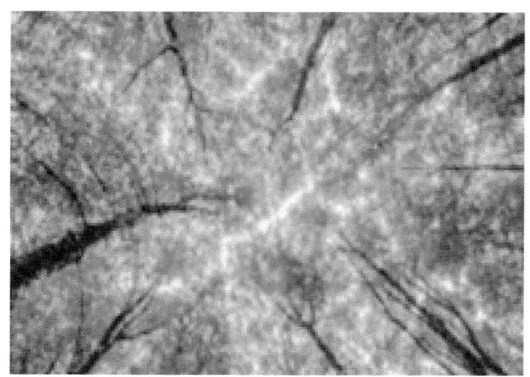 

자연과 같이 생활해 보라. 무한한 가능성을 가진 공간이다.

13. "아이디어 훔쳐라. 그리고 자신의 것으로 개선하라"

혼자만의 생각보다 다수의 생각을 공유하라. 공유된 아이디어를 서로 결합하여 새로운 아이디어로 발전시켜라. 브레인스토밍이 중요한 이유이다.

아이디어를 발전시키는 가장 쉬운 방법은 브레인스토밍이다.

14. "실패를 두려워 하지 마라. 아무것도 하지 않는 이보다 가능성이 크다"

성공은 도전에서 출발하고 도전은 실패와 동반한다. 실패를 두려워하면 도전하지 못하고 도전하지 않으면 성공은 없다, 어느 순간에도 아무거도 하지 않은 자보다 더 큰 벌을 받아서는 안 된다.

성공은 실패의 산물이다. 실패의 전쟁에서 승리하여 얻은 전리품이다.

15. "변화하는 모든 것은 당당하다. 아이디어는 혁신을 위한 용도이지, 옳고 그름을 판정하는 요소가 아니다"

아이디어는 긍정과 부정, 옳음과 그름의 판정 대상이 아니다. 모든 아이디어가 변화를 위한 도화선이며 혁신을 위한 뿌리이다. 아이디어를 평가하는 것은 더 효과적인 방법을 탐색하는 것이지, 부적합을 결정짓는 행위가 아니다.

아이디어는 판정의 요소가 아닌, 방향 판단하기 위한 것이다

16. "좋아하는 것을 만끽하면서 문제를 떠올려라. 뇌는 기분이 좋을 때, 양질의 산출물을 제공한다"

노래하고 싶으면 노래하고, 샤워하고 싶으면 샤워하라. 아이디어는 노래 속에 물줄기 속에서 나에게로 다가온다. 책상 앞에 앉은 멍한 모습에서는 절대 아이디어는 찾아오지 않는다.

뇌를 개방시키고 활동을 극대화하는 방법의 하나는 좋아하는 것을 하는 것이다.

17. "회의 전 몸풀기 준비 운동을 해라. 그리고 1시간 동안 논의했으면 10분은 쉬어라"

뇌 활동은 예약제로 운영된다. 활동 전에 활동을 암시하는 몸풀기가 필수이다. "아! 이제 활동할 시간이 되어가니 준비를 해야겠군!", 뇌의 예약승인 신호를 확인하고 회의를 시작하라.

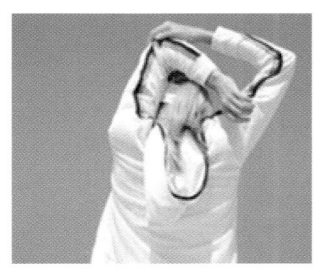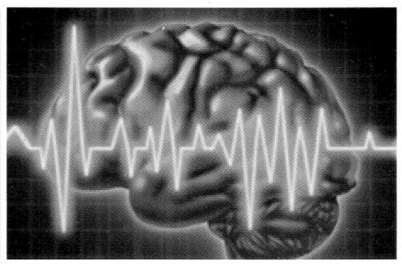

예약하지 않은 생각의 강요는 뇌세포를 멈추게 한다.

2 생각의 문 열기

아이디어 제시를 위해서는 먼저, 생각의 문을 열어야 한다. 생각의 문을 여는 **열쇠는 작은 질문**이다. 찰스 칙 톰슨은 생각의 문을 열기 위한 질문을 요소별로 제시하고 있다. 하나의 문제 요소에 대해 아래의 질문을 계속해 보라. 여러분의 생각 문이 활짝 열릴 것이다.

이 방법은 2장에서 언급하는 확산적 사고를 위한 기법 중 스캠퍼와 유사한 방법이며 하나의 대상을 두고 다양하게 생각하는 구체적인 요소를 제시하고 있다. 본 지문들은 스캠퍼 기법이나 브레인스토밍 기법 이전에 활용하면 보다 효과적이다.

아래 목록에 언급한 제시어를 기준으로 하나의 대상을 하나씩 대입하면서 생각을 확장하고 기술해 본다. 고민하기 위해서는 고민을 위한 실마리가 있어야 한다는 점에서 매우 유용한 실마리가 되는 목록이다.

1. 늘리면 / 줄이면

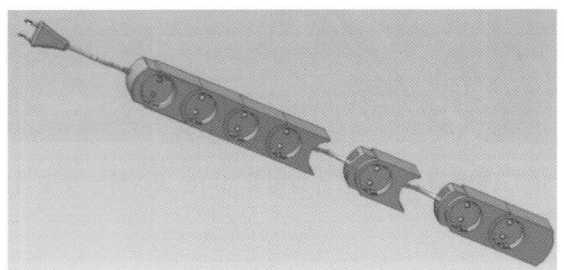

길이를 늘이고 줄이는 가변형 멀티탭

2. 로맨틱하게 하면 / 공포 분위기로 하면

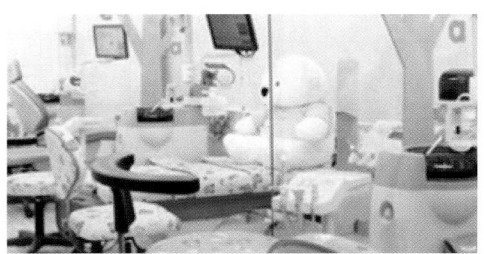

치과를 동화 속 마을처럼

3. 결합시키면 / 분리하면

결합을 통한 아이디어들

4. 아이를 대상으로 하면 / 노인을 대상으로 하면

유모차가 고령자 보행용으로

5. 방한 처리를 하면 / 내열 처리를 하면

마스크를 시원하게

6. 빛을 쪼이면 / 어둡게 하면

빛에 반응하는 등나무 넝쿨 Digital Dawn

7. 빨리하면 / 천천히 하면

속도를 이용한 지하철 파노라마 광고

8. 오른쪽으로 돌리면 / 왼쪽으로 돌리면

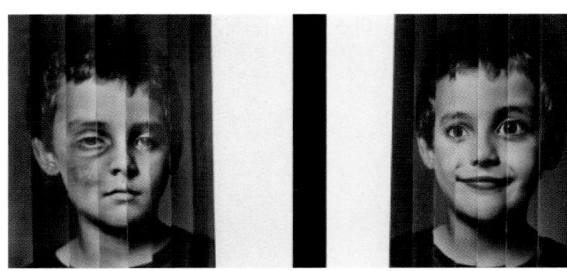

방향에 따라 다르게 보이는 광고

9. 날카롭게 하면 / 무디게 하면

물병 입구를 날카롭게(퓨리)

10. 얼리면 / 녹이면

얼려 먹는 야쿠르트(거꾸로 발상)

11. 단어나 글자 순서를 바꾸면 / 단어나 글자 순서를 맞게 하면

12. 달달게 하면 / 아주 쓰게 하면

13. 균형감 있게 하면 / 불균형하게 하면

우산의 균형을 맞지 않게 하면

14. 쪼임을 강하게 하면 / 쪼임을 약하게 하면

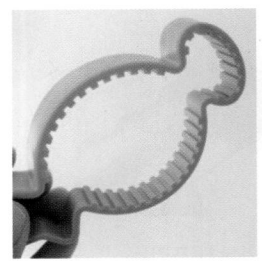 

고무의 쪼임을 이용한 병뚜껑 돌리개

15. 심리적 긴장감을 갖게 하면 / 심리적 안정감을 갖게 하면

16. 하나씩 누적시키면 / 쌓여 있는 것을 무너뜨리면

쌓아 올리면 충전 타워(킥스타터)

17. 묶으면 / 풀면

묶으면 살고, 풀면 죽는다(한국도로공사)

18. 위로 가게 하면 / 아래로 가게 하면

버스 아래로 지나가는 터널 버스(중국)

19. 가격을 올리면 / 가격을 내리면
20. 음악으로 하면 / 그림으로 그리면
21. 옛날 분위기로 하면 / SF적인 분위기로 하면
22. 강하게 하면 / 약하게 하면

강할 필요 있나? (테이프형 멀티탭)

23. 휴대용으로 하면 / 한 곳에 고정시키면

휴대용 자외선 살균기(네오스)

24. 독특한 개성을 갖게 하면 / 일반적인 보편성을 갖게 하면

25. 과장하면 / 조심스럽게 하면

26. 분위기를 섹시하게 하면 / 섹시한 분위기를 빼면

27. 단순화하면 / 복잡하게 하면

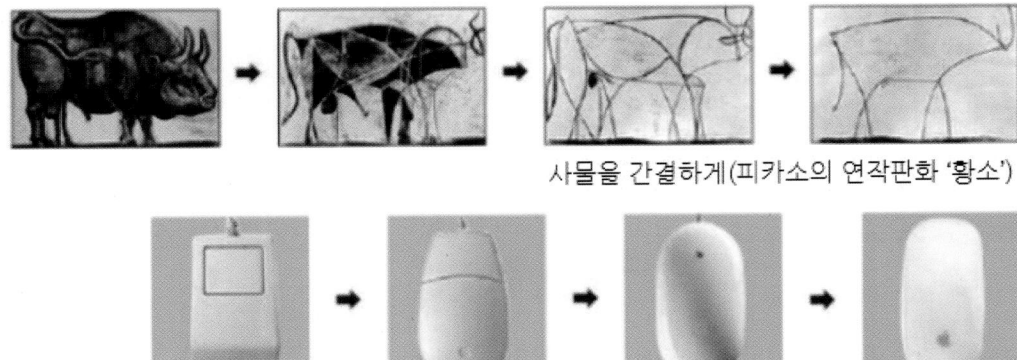

사물을 간결하게(피카소의 연작판화 '황소')

디테일을 단계적으로 생략(애플의 '마우스')

28. 깨지기 쉽게 하면 / 잘 깨지지 않게 하면

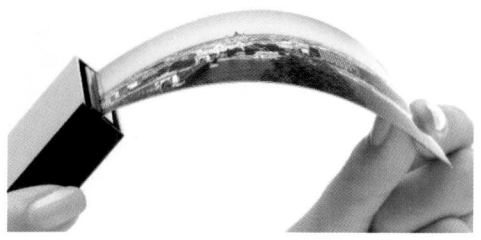

깨지지 않는 디스플레이 패널(삼성)

29. 익살맞게 하면 / 진지하게 하면

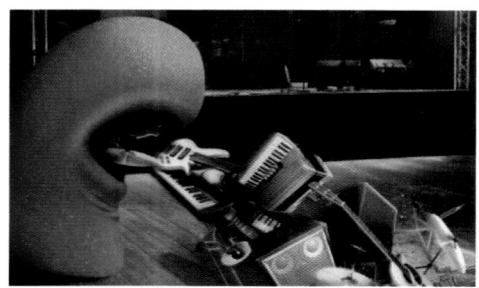

모든 소음을 막아준다는 귀마개 광고

30. 습하게 하면 / 건조하면

31. 둘러싸면 / 찌르도록 하면

한 번쯤 생각해 본 둘러싼 우산

32. 일회용으로 하면 / 재생 가능하면

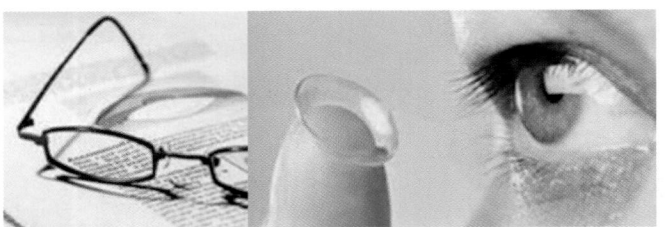

일회용 안경, 콘택트렌즈

33. 하늘을 날 수 있게 하면 / 물 위에 뜨게 하면

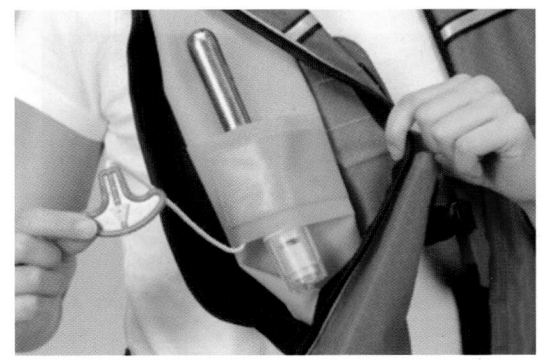

물에 닿으면 팽창되는 구명조끼

34. 뒤로 향하게 하면 / 옆으로 놓이게 하면

방향을 달리하니 불편함이 감소(거꾸로 자동 우산)

35. 자석을 달아놓으면 / 자석을 떼면

병뚜껑이 날아가지 않는 자석 오프너

36. 투명하게 하면 / 불투명하게 하면

투명 또는 불투명, 단방향 투시 거울

37. 앞으로 나아가게 하면 / 뒤로 움직이게 하면

사방으로 분무 되는 가습기

CHAPTER 2

확산적 사고로
생각 표현하기

Design Thinking & Decompose the Problem

브레인스토밍 Brainstorming

앞서 언급한 바와 같이 창의적 사고를 위한 가장 중요한 요소가 확산적 사고를 위한 다양한 관점에서의 아이디어 표출이다. 본격적인 디자인 씽킹과 관련된 학습 이전에 여러분들의 생각을 표현하고 공유하는 준비 운동을 해 보고자 한다. 이를 위하여 본 장에서는 확산적 사고를 신장하기 위한 다양한 기법들을 소개하고 직접 활동해 보는 기회를 갖고자 한다.

1 브레인스토밍의 이해

브레인스토밍은 창의적인 아이디어를 위하여 다수의 사람이 모여 특정 문제를 대상으로 아이디어를 제시하고 회의 방식을 통하여 결과를 도출하는 집단사고 방식의 한 종류이다. 오즈번이 광고 제작을 위해 시도한 방법에서 발전되었으며 **뇌(Brain)와 폭풍(Storm)**의 합성어이다. 문제 해결을 위한 자신만의 생각과 발전도 중요하지만, 집단적 활동을 통하여 더 많은 창의적인 아이디어나 문제 접근에 대한 다양한 방법을 찾을 수 있다. 그룹 멤버들의 자발적이고 자연스러운 의견 제시를 통하여 특정한 문제를 해결하기 위한 해답을 찾는 방법 중에 대표적인 예이다.

교과 진행 원칙에서 언급한 바와 같이 논의 시에는 가능한 많은 생각들을 수집하고 제시된 의견에 대해서는 절대 우선적으로 평가하지 않는다는 것이 큰 전제이다.

■ 가능한 많은 의견을 제시하라

많은 의견이 큰 아이디어를 낳는다

다양한 아이디어 속에서 다양성과 독특한 해결책이 나올 가능성이 커진다. 그리고 우리는 올바른 답을 찾기보다는 더욱 적극적으로 서로의 생각을 표현하고 공유하는 것에 집중해야 한다.

■ 판단을 가능한 뒤로 미루어라

제시된 의견에 대해 저울질하거나 판단하지 말라

제시된 의견을 미리 판단하면 동료들은 아픈 외부 자극으로 느끼게 되고 자연스럽게 자기 생각을 표현하는데 겁을 먹게 된다. 모두를 위하여 동료의 의견에 대해 가능한 판단을 뒤로 미루어야 한다.

일반적으로 **브레인스토밍은 아래와 같은 4가지 원칙(4S)**을 가진다. 이는 구성원들 간 어색함을 줄이고 의견에 대한 격려와 긍정적 자극을 주기 위한 목적이다.

브레인스토밍의 4S

- SPEED(양산) : 많은 양의 의견은 질 좋은 아이디어의 확률을 높인다.
- SUPPORT(비판금지) : 아이디어에 대한 평가나 비판하지 않는다.
- SILLY(자유분방) : 돈키호테와 같은 엉뚱한 의견을 제시하면 박수를 보낸다. 이치와 올바름을 떠나 머릿속 생각을 막 분출한다.
- SYNERGY(결합과 개선) : 아이디어는 모두 기록하고 가능하면 2개 이상의 아이디어를 결합하여 새로운 제3의 아이디어를 끌어낸다.

위의 4S와 더불어 다른 사람의 아이디어를 나의 것으로 만들어야 한다. 제시된 다른 사람의 의견에 내 생각을 결합하여 더 좋은 아이디어로 확장하는 것이 브레인스토밍에서 가장 중요하다.

그리고 브레인스토밍의 주제는 폐쇄적인 질문보다 개방적인 질문이 유용한 결과를 갖는다.

- 폐쇄적 질문 : 휴학을 할까 말까?
- 개방적 질문 : 우리 팀명을 무엇을 할까?

개방적 질문은 생각을 문을 활짝 열게 하지만, 폐쇄적 질문은 이분법적 사고에 갇혀 생각의 문을 닫게 하는 특징이 있다. 자신의 주장과 의견을 전달할 때는 상대방이 수용할 수 있게 여지를 남겨야 한다.

내가 주장하는 방안이 최선이라고 강조하면, 상대방은 방법적인 모색과 관련된 주장에 대한 반감적 요소로 인하여 브레인스토밍에 대한 의지를 상실하게 된다.

> "내 의견은 지금까지 설명한 것과 같다. 하지만 분명, 이 의견보다 나은 방법이 있을 거라 생각한다. 여러분은 나의 의견에 어떤 문제와 개선점이 있다고 생각하는가?"

개방적 질문은 새로운 아이디어를 위한 열쇠이다

혁신적인 디자인과 창의적인 아이디어로 유명한 **IDEO 사**는 4S를 확장하여 브레인스토밍의 **7가지 원칙**을 제시하고 있다.

1. 판단은 나중에

앞서 설명한 원칙으로 개방된 분위기에 여러 사람의 아이디어를 최대한 모으기 위에서는 제시된 의견에 대해 부정적이거나 비판적인 언변은 삼가야 한다. 시작부터 수준 이하의 의견까지 받아들일 준비를 해야 한다.

2. 한 가지 주제에 집중

의견에 제약을 두지 않기 때문에 시간이 흐를수록 주제에 벗어나는 다른 길로 빠질 수 있다. 수시로 주제에 집중할 수 있도록 언급하며 길을 바로잡아, 배가 산으로 가지 않게 해야 한다.

3. 다른 사람의 아이디어 훔치기

브레인스토밍에서 아이디어는 주인이 없다. 제시된 아이디어를 최대한 활용하여 발전된 새로운 아이디어를 내면 된다. 아이디어는 솔로가 아닌 듀엣이고 트리오이다. 무조건 확장시킨다.

1.	판단은 나중에
2.	한가지 주제에 집중하자
3.	다른 사람 아이디어를 훔지자
4	글보다는 그림으로
5.	엉뚱한 아이디어를 환영하자
6.	누가 무슨 말을 하지?
7	多多益善(다다익선)

브레인스토밍의 7가지 원칙(IDEO)

4. 글보다 그림으로

그림이나 포스트잇을 이용하여 최대한 생각의 표현을 사실적으로 표현한다. 적혀진 글자에서 도출되는 새로운 아이디어보다 그림 속에 발전되는 아이디어가 더 많고 창의적이다. 전달력도 Good.

5. 엉뚱한 아이디어를 환영

다른 사람의 엉뚱한 아이디어는 나에게 씨앗이 될 수 있다. 자유롭게 아이디어를 제시하도록 Open. 가장 엉뚱한 아이디어를 내는 사람에게 커피 쿠폰 증정.

6. 누가 무슨 말을 하는지 귀 기울이기

주제와 아이디어의 이해도와 수용력을 높이기 위해서 다른 사람의 의견이나 대화에 집중해야 한다. 나에게 번뜩이는 자극을 누가 줄지 알 수 없다.

7. 가능한 많은 의견 제시하기

좋은 아이디어의 가능성은 오직, 많은 아이디어에서 비롯된다. 무조건 질러 본다.

그리고 위의 7가지 원칙은 암기하지 말고 벽면에 크게 붙여 놓고 수시로 상기시키면서 진행하는 것이 좋다.

하지만, 이러한 원칙에도 불구하고 여러 구성원이 모인 자리에서 "자! 이제 시작해 봅시다!"라고 하면 모두 꿀 먹은 벙어리처럼 입을 꾹 다물고 있는 것이 현실이다. 아무리 리더가 의견 제시를 독려해도 서로 눈치만 보며 생각의 문을 열 의지를 갖지 못한다.

효과적인 브레인스토밍에 가장 큰 아군은 "참여 의식"이다. 이후부터 실시되는 모든 활동지에는 기록자 역할을 팀원이 반드시 의견과 함께 제안자를 기술하도록 한다. 자율적 참여가 가장 좋은 방법이지만, 교육의 효과성을 극대화하기 위한 처방으로 강제적 참여를 이용한다.

교수자는 단위 평가 시에 참여도에 대한 평정이 가능하도록 활동 장치를 마련하여 운영할 것이다. 상단에 언급한 "의견 제안자", "팀원 상호평가", "발표 및 질의응답" 등의 강제적 장치를 이용하여 참여를 독려할 것이다.

이 수업의 핵심은 "자율적 참여"

2 Personal Excellence의 유용한 25가지

보다 쉽게 브레인스토밍을 시작하기 위하여 2009년 Personal Excellence에서 발표된 유용한 25가지 브레인스토밍 기법을 소개한다.[1]

1. 시간 여행

만약, 당신이 다른 시간대에 살고 있다면 어떻게 대처할 것인가? 10년, 100년, 1,000년 전에 있다면, 혹은 10년, 100년, 1,000년의 미래에 있다면 어떻게 대처할 것인가?

> **Time Travel** : How would you deal with this if you were in a different time period? 10 years ago? 100 years ago? 1,000 years ago? 10,000 years ago? How about in the future? 10 years later? 100 years later? 1,000 years later? 10,000 years later?

타임머신을 타고 미래로 과거로. 과거 속에서 이미 구현된 방법론을 당신이 고민하고 있을 수 있다.

---

1 출처 : https://personalexcellence.co/

2. 순간이동

다른 장소에서 이 문제를 직면하면 어떻게 할까? 다른 지역?, 다른 우주?, 다른 국가? 등의 다른 곳에서 있다면 이 문제를 어떻게 처리하겠는가?

Teleportation : What if you were facing this problem in a different place? Different country? Different geographic region? Different universe? A different plane of existence? How would you handle it?

여기가 아닌 다른 장소라면 문제는 쉽게 풀릴 수도 있다. 그리고 그 장소의 특성을 가져오면 된다.

간이 활동지 코로나19 방역을 위해 마스크 착용을 독려하는 방법?

3. 속성 변경

당신의 성별, 나이, 인종, 학력, 신장, 체중, 국적 등이 바뀐다면 당신의 무의식 속의 차단된 사고가 새롭게 확장될 것이다. 그때를 생각하며 각 속성이 바뀔 때마다 이 문제를 어떻게 처리하겠는가?

Attribute change : How would you think about this if you were a different gender? Age? Race? Intellect? Height? Weight? Nationality? Your Sanity? With each attribute change, you become exposed to a new spectrum of thinking you were subconsciously closed off from.

인종이나 국가, 성별에 따라 문화적 차이나 접근방식의 변화에서 오는 기발한 해결책이 발생할 수도 있다.

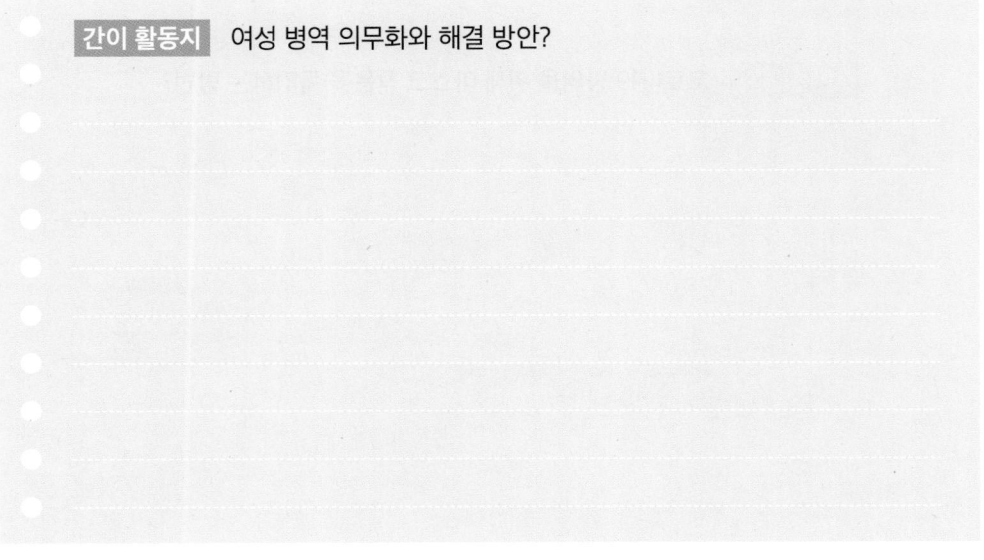

간이 활동지 여성 병역 의무화와 해결 방안?

4. 역할극

만약, 당신의 입장이 부모님, 교수님, 친한 친구, 선배, 후배라면 어떻게 이 문제에 대처할 것인가?

Rolestorming : What would you do if you were someone else? Your parent? Your teacher? Your manager? Your partner? Your best friend? Your enemy? Etc?

입장 바꿔 생각해 보라. 소비자의 입장에서, 장애우의 입장에서, 문제 접근에 대한 본질적인 부분이 보일 것이다.

간이 활동지 장애인 이동권 보장?

5. 우상

당신이 역할극을 넘어 과거의 우상적인 인물이라면 어떻게 할 것인가? 부처, 예수, 아인슈타인, 에디슨, 스티브 잡스, 문재인, 빌게이츠라면 어떻게 대처할 것인가?

> **Iconic Figures** : This is a spin-off of rolestorming. What if you were an iconic figure of the past? Buddha? Jesus? Krishna? Albert Einstein? Thomas Edison? Mother Theresa? Princess Diana? Winston Churchill? How about the present? Barack Obama? Steve Jobs? Bill Gates? Warren Buffet? Steven Spielberg? Etc.? How would you think about your situation?

문제와 관련된 상징적인 인물들은 이 문제를 어떻게 해결했을지를 생각해 본다. 자신의 능력의 한계가 사고의 한계로 이어지는 것을 막아야 한다.

6. 초능력

갑자기 초능력이 생기면 어떻게 할 것인가? 슈퍼맨, 스파이더맨, 원더우먼, X맨, 헐크, 판타스틱4 인물 중 한 명? 당신은 무엇을 하겠는가?

> **Superpowers** : This is another spinoff of rolestorming. What if you suddenly have superpowers? Superman? Spiderman? Wonderwoman? X-Men? The Hulk? One of the Fantastic Four? What would you do?

이들처럼 나에게도 초능력이 있다면 문제는 쉽게 풀릴 것인데, 엉뚱한 상상을 다듬으면 현실적 해결책이 될 수도 있다.

간이 활동지　비흡연 장소의 흡연을 줄이기 위해서?

7. 차이 채우기

현재를 A라 하고 최종 목표를 B라고 한다면, A와 B사이에 존재하는 차이는 무엇인가? 이 차이를 채우는 데 필요한 것은 무엇인가? 필요한 것을 나열하고 그것들을 얻기 위해 무엇이 필요한지 알아보자.

Gap Filling : Identify your current spot - which is Point A - and your end goal - which is Point B. What is the gap that exists between A and B? What are all the things you need to fill up this gap? List them down and find out what it takes to get them.

현실을 직시하고 목표를 위해 부족한 것이 무엇인지를 정확하게 알아야 한다. 부족한 부분이 해결의 핵심이다.

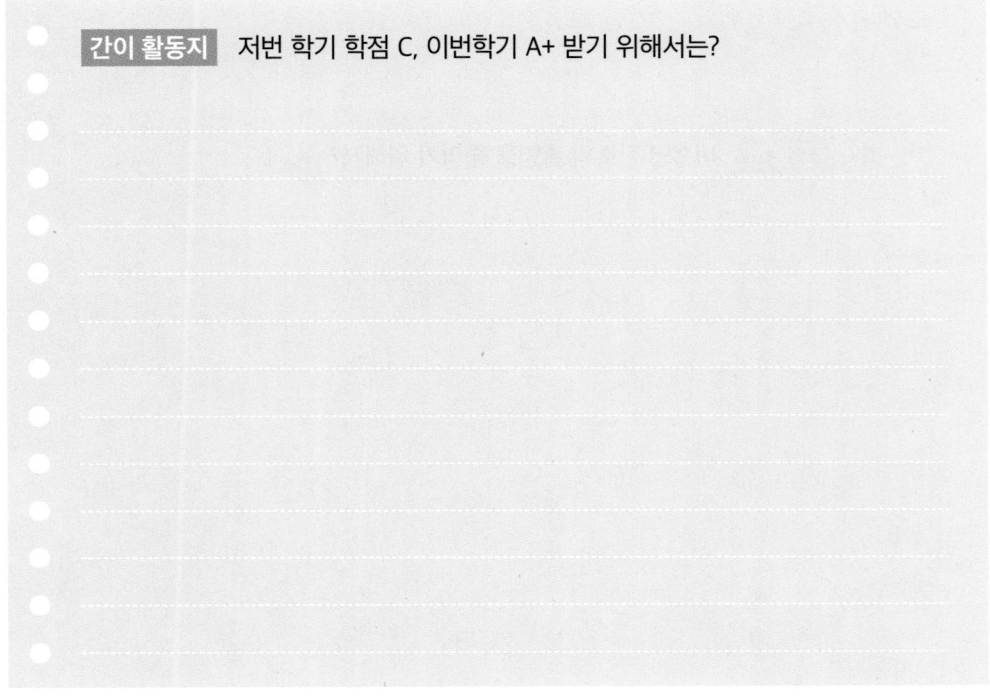

간이 활동지   저번 학기 학점 C, 이번학기 A+ 받기 위해서는?

8. 그룹 아이디어

그룹 브레인스토밍 세션을 가져보라. 사람들을 모아서 함께 아이디어를 산출해 보라. 더 많은 두뇌가 하나 보다 훨씬 낫다.

Group Ideation : Have a group brainstorming session! Get a group of people and start ideating together. More brains are better than one! Let the creative juices flow together!

무슨 말이 필요하겠는가! 아이디어가 많으면 선택의 폭도, 선택의 질도 높아진다.

간이 활동지　비흡연 장소의 흡연을 줄이기 위해서? ➜ 너의 의견은?

9. 마인드맵

마인드맵은 계층적 트리 및 클러스터 형식으로 가능한 많은 아이디어를 산출하는 훌륭한 도구이다. 중앙에 목표를 명시하고 주요 하위 주제 등을 가지치기 형태로 파생한다. 그리고 필요한 만큼의 줄기별로 세부 하위 주제를 계속 파생시킨다. 마인드맵을 위한 무료 소프트웨어[2]을 활용하자.

> **Mind Map** : Great tool to work out as many ideas as you can in a hierarchical tree and cluster format. Start off with your goal in the center, branch out into the major sub-topics, and continue to branch out into as many sub-sub-topics as needed. Source Forge is a free mind-mapping software you can check out.

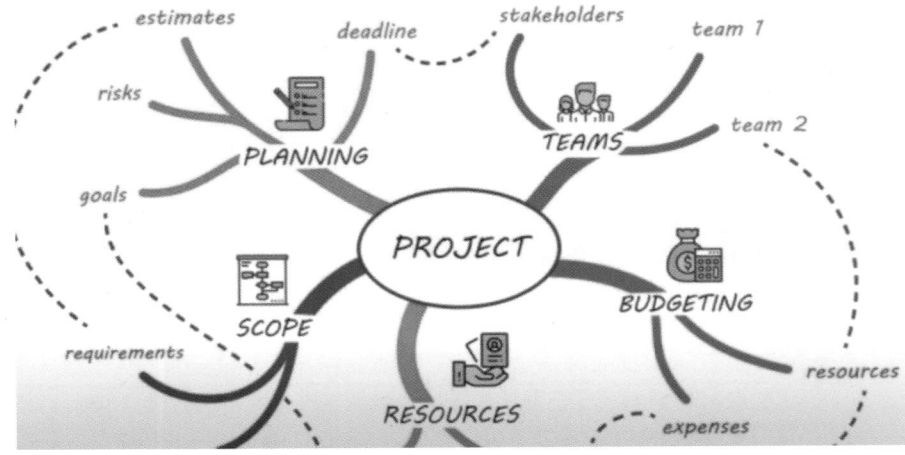

시각적인 표현은 단순한 텍스트보다 사고의 확장을 손쉽게 한다.

2　깃마인드(Gitmaind) : 프로그램 설치 없이 온라인으로 사용, 순서도 및 조직도 등의 구조도를 작성할 수 있는 다양한 템플릿을 제공(https://gitmind.com/)
　그 외에도 XMind, Coggle, Freemind 등이 있다.

10. 메디치 효과[3]

관련이 없는 주제나 분야와 융합하라. 서로 다른 영역에서 유사한 목표와 함께 목표를 설정하고 병렬적인 테마와 해결책에 대해 깊이 생각해 보라. 예를 들어, 수상 경력이 빛나는 아티스트가 되는 것이 목표라면 수상 경력이 있는 음악가, 교육자, 게임개발자, 사업가 등을 살펴보라. 현재 상황에 적용할 수 있는 어떤 공통점이 있는지? 그들의 수상 경력에 무엇이 효과가 있었는지? 그들의 성공 요인을 어떻게 적용할 것인지 생각해 보라.

> **Medici Effect** : The Medici Effect refers to how ideas in seemingly unrelated topics/fields intersect. Put your goal alongside similar goals in different areas/contexts and identify parallel themes and solutions. For example, if your goal is to be an award-winning artist, look at award-winning musicians, educators, game developers, computer makers, businessmen, etc. Are there any commonalities that you can apply to your situation? What has worked for each of them, and how can you apply this success factor?

이질적인 분야의 전문성을 하나로 융합하는 것이 4차 산업혁명 시대에 요구되는 문제 해결 방법론의 근간이다.

---

3 15세기 이탈리아의 메디치 가문이 다양한 전문가들을 위해 후원을 했는데, 이들이 서로 간의 역량을 융합하여 새로운 가치를 창출하여 르네상스 시대를 맞게 된 것에 대한 유래

11. 스와트 분석

당신의 현재 상황과 목표 달성의 관점에서 강점, 약점, 기회, 위협 요인을 분석하면 새로운 아이디어를 얻게 될 것이다.

SWOT Analysis : Do a SWOT of your situation. What are the Strengths? Weaknesses? Opportunities? Threats? The analysis will open your mind up to new ideas.

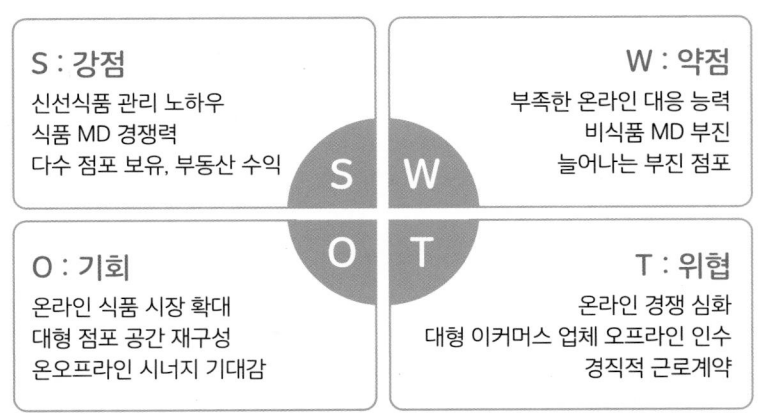

지피지기 백전백승. 현재 상황을 정확히 직시해야만 문제를 해결할 수 있다.

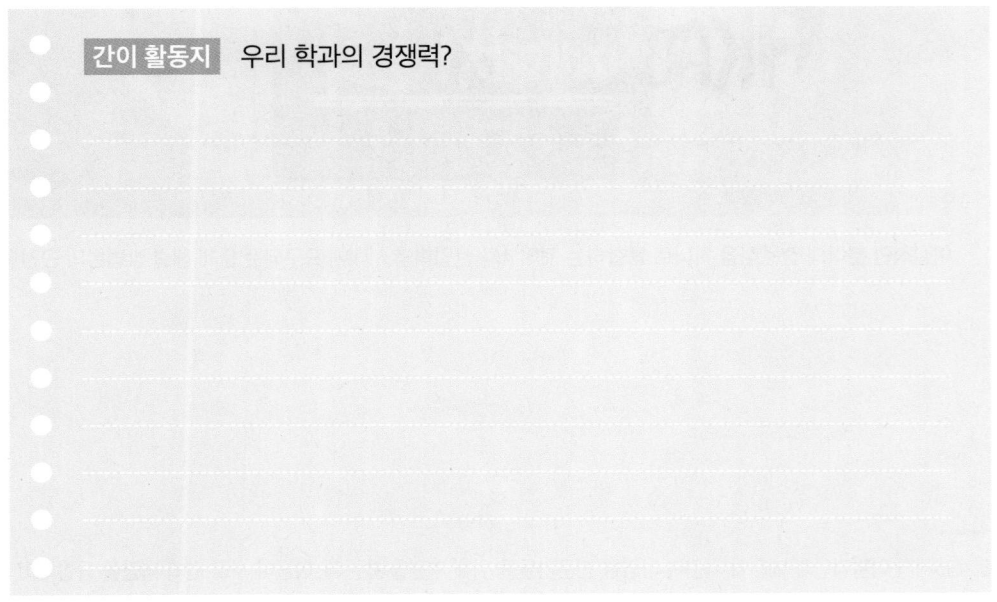

간이 활동지 우리 학과의 경쟁력?

18. 역발상

모든 사람이 당신의 상황에서 일반적으로 무엇을 할 것인지 생각해 보라. 그리고 반대로 생각해 보라.

Reverse Thinking : Think about what everyone will typically do in your situation. Then do the opposite.

답답한 문제 해결. 거꾸로 보면 답이 보인다.

간이 활동지 지금 소지하고 있는 물건 중 하나에 대한 역발상

19. 반작용에 대응하라

목표를 달성하기 위한 아이디어나 시나리오에 대응되는 부작용은 없을까? 웹사이트에 더 많은 광고를 게재해야 많은 이익을 얻을 수 있지만, 대신 그 만큼의 트래픽 증가로 속도에 짜증을 내는 사용자가 늘어날 것이다. 이러한 반작용을 줄이는 방법을 생각해 보는 것이다. 사이트나 페이지에 밀접한 관계성이 있는 광고만 표시된다거나 콘텐츠 전체가 아닌 상징적 문맥만을 보여주는 것도 방법이 될 수 있다.

Counteraction Busting : What counteracting forces are you facing in your scenario? For example, if you want to increase traffic to your website, two counteracting forces may be the number of ads you put and the pageviews of your site. The more ads you put, the more users will likely be annoyed and surf away. What can you do such that the counteraction no longer exists or the counteraction is no longer an issue? Some solutions may be to 1) Get ads that are closely related to the theme of your site, 2) Get contextual ads that are part of your content rather than separate, and so on.

문전성시, 주인은 식당밖 땡볕의 대기 손님은 관심 없다. 지속적인 매출 증대를 위하여 대기 손님을 위한 그늘막이나 냉수 서비스를 제공한다면?

20. 자원 가용성을 생각하라

자본, 시간, 인적 자원, 물적 자원의 공급이 전혀 문제가 되지 않는다면 어떨까? 원하는 것이 무엇이든 요구할 수 있다면 어떨까? 그럼, 무엇을 하겠는가?

Resource Availability : What if money, time, people, supplies are not issues at all? What if you can ask for whatever you want and have it happen? What will you do?

가용 자원의 한계를 생각하면 아이디어는 제약된다. 발전적 아이디어를 위해서 무엇이든 가지고 있다고 생각해 보라.

간이 활동지 아프리카 식량문제 해결 방안?

21. 운영 분석

당신의 상황을 진전시키는 데 도움이 되는 것은 무엇이고 불리하게 작용하는 것은 무엇인지를 생각한다. 그리고 이를 어떻게 확대하고 축소할 수 있는지 생각해 보라.

Drivers Analysis : What are the forces that help drive you forward in your situation? What are the forces acting against you? Think about how you can magnify the former and reduce/eliminate the latter.

상황의 장점은 극대화하고 단점은 최소화하기 위해서 무엇을 해야 하지?

간이 활동지   나의 꿈을 이루기 위한 방안?

22. 과장

목표를 과장해서 지금 어떻게 처리할 것인지 생각해 보라. 지금의 10배, 100배, 1,000배가 되거나 반대로 줄어든다면?

Exaggeration : Exaggerate your goal and see how you will deal with it now. Enlarge it: What if it is 10 times its current size? 100 times? 1000 times? Shrink it: What if it is 1/10 its current size? 1/100? 1/1000? Multiply it: What if you have 10 of these goals now? 100? 1000?

목표를 과대 포장해 보라. 그리고 과대포장을 현실화시키기 위해 해야 할 일들을 생각해 보라.

간이 활동지 나의 토익점수는 900점?

23. 임의의 입력값을 적용해 보라.

주위에 있는 여러 요소에서 임의의 단어나 이미지를 찾아 자신의 상황에 어떻게 맞출지 생각해 보자. 사전, 웹페이지, 책, 잡지, 신문, TV, 방, 집, 직장, 이웃 등의 요소에서 얻어진 임의의 값을 나의 문제에 적용해 보고 대처 방법을 찾아보는 것이다.

Get Random Input : Get a random stimulus and try to see how you can fit it into your situation. Get a random word or image from a dictionary/ webpage/ book/ magazine/ newspaper/ TV and think about how it can apply. Or a random object from your room / house /workplace /neighborhood /etc. And so on.

신문을 들추고 한 단어를 찍어라. 그리고 그 단어를 당신의 문제에 적용해 보라. 예상치 않은 아이디어가 떠오른다.

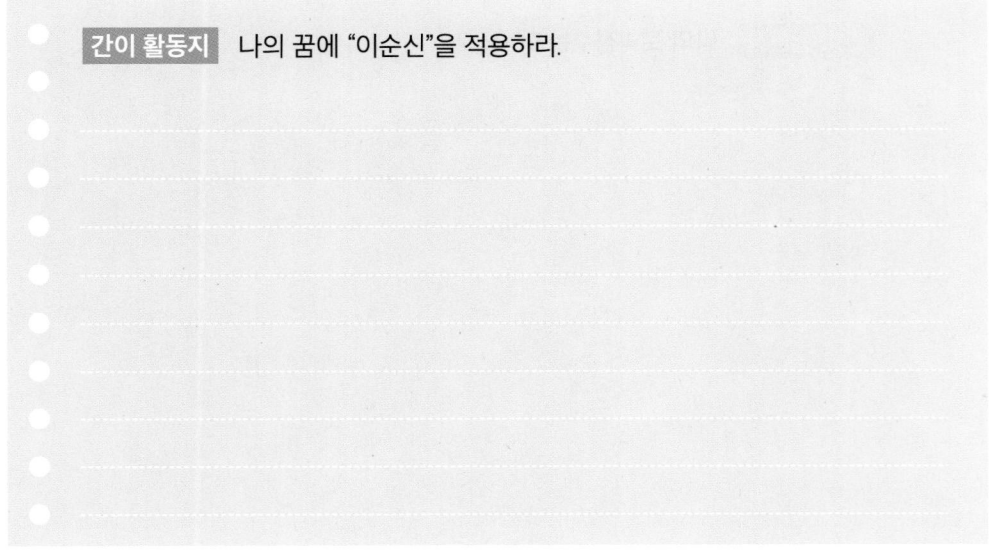

간이 활동지   나의 꿈에 "이순신"을 적용하라.

"이 문제를 어떻게 해결할 수 있을까?"와 같은 핵심 질문에 집중하고 묵상하는 것이다. 생각나는 것을 적을 수 있도록 필기구를 앞에 두고. 이를 30분 동안 또는 필요한 만큼 수행한다.

Meditation : Focus on your key question such as 'How can I solve XX problem?' or 'How can I achieve XX goal?' and meditate on it. Have a pen and paper in front of you so you can write whatever comes to mind. Do this for 30 minutes or as long as it takes.

무아지경. 온 정신을 한 곳에 집중한다. 다른 무엇인가를 들어올 수 없게 하고 오직 문제만을 생각한다.

간이 활동지 10분 명상 "나의 게으른 습관, 어떻게 하지?"

25. 아이디어 목록 작성(101개)

메모장이나 엑셀 시트를 열고 현재 상황에서 다룰 수 있는 최소한 101가지 긴 아이디어 목록을 작성하라. 자신을 제한하지 않고 생각할 수 있는 모든 것을 작성한다. 최소한 101이 될 때까지 멈추지 않는다. 그중에 분명 방법이 있을 것이다.

Write a list of 101 ideas : Open your word processor and write a laundry list of at least 101 ideas to deal with your situation. Go wild and write whatever you can think of without restricting yourself. Do not stop until you have at least 101.

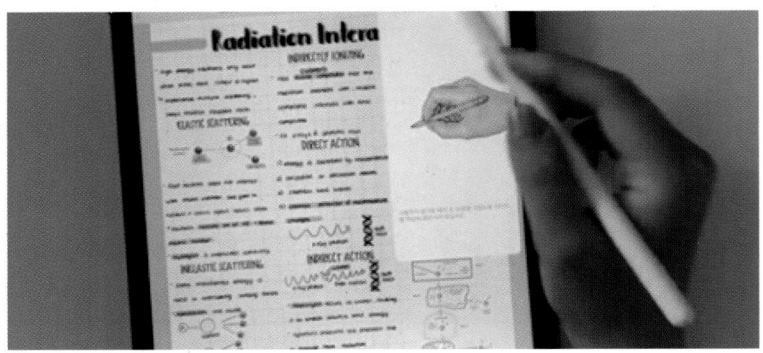

마른 오징어에서 물이 나올 때까지, 바닥이 보일 때까지 집중 또 집중.

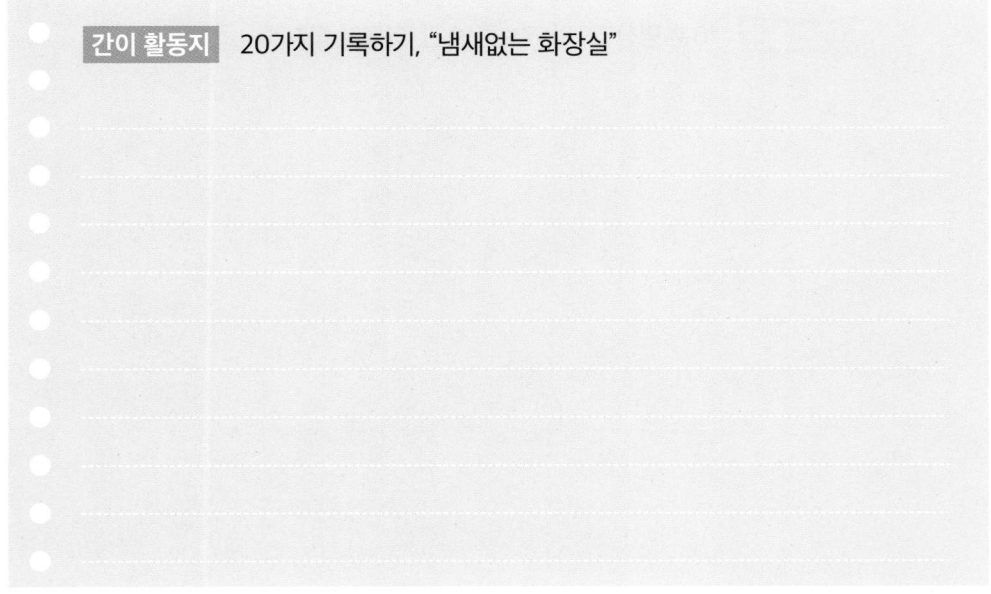

간이 활동지 20가지 기록하기, "냄새없는 화장실"

3 브레인스토밍 활동하기

- 자유로운 의견을 제시하지만 올바른 길로 인도하기 위한 활동의 리더와 제시된 의견을 기록하는 기록원을 반드시 선정한다.
- 가능한 10명 내외의 팀원으로 구성하고 다른 전공 분야나 관심사를 가진 사람들로 구성하는 것이 의견의 다양성 측면에서 효과적이다.
- 하나의 대주제를 정하고 몇 가지의 소주제로 최대한 2시간 이내에 마무리한다.
- 사전에 브레인스토밍의 목적과 주제가 적힌 활동지를 배포한다.
- 고정된 자리가 아니고 한정된 공간 내에서는 자유롭게 돌아다닐 수 있게 한다.
- 원탁 형태로 구성원이 모일 수 있는 자리를 정한다.
- 간단한 음료와 다과를 준비하여 분위기를 이완시킨다.
- 각자 필기구와 문구류를 준비한다.
- 타이머와 녹음기 등을 추가로 준비하면 좋다.

팀 구성하기 - 팀원 소개

1 단계	팀 구성하기 - 팀원 소개	소요 시간	20분	준비물	전지, 포스트잇, 색연필
성명		학번		일자	20 . . .
활동	1. 팀원별 이름을 적고, 각자의 주요 관심사나 본인을 상징적으로 표현할 수 있는 키워드를 3개 붙인다. 2. 붙여진 키워드를 참고하여 상대방에게 묻고 싶은 질문을 하나씩 붙여 준다. 3. 각자 자신을 1분 이내로 소개한다. (요즘 관심 있는 키워드를 중심으로)				
활동 결과	* 최종 활동 결과를 그림 파일 삽입 또는 출력하여 부착하세요.				

팀 구성하기 - 팀명 정하기

2 단계	팀 구성하기 – 팀명 정하기		소요 시간	20분	준비물	전지, 포스트잇, 색연필
성명			학번		일자	20 . . .
활동	1. 팀별 특징을 표출할 수 있는 독창적인 팀명 정하기 2. 팀원의 역할 정하기 3. 팀의 규칙 정하기(10개 이상)					
활동 결과	■ 팀명					
	■ 팀원 역할	팀장				
		기록자				
		시간관리자				
		규칙관리자				
	■ 팀 규칙					

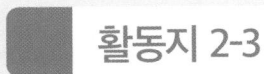

주제에 대한 설명과 지식 공유하기

3 단계	주제에 대한 설명과 지식 공유하기	소요 시간	20분	준비물	전지, 포스트잇, 색연필
성명		학번		일자	20 . . .
활동	1. 주제에 대해서 교수자가 간결하고 명확하게 설명하기 2. 팀원과 관련 지식을 자유롭게 공유하기(인터넷 등 검색 가능) 3. 일정한 시간을 두고 아이디어 생각하기				
활동 결과					

자유롭게 아이디어 제시하기

4 단계	자유롭게 아이디어 제시하기	소요 시간	30분	준비물	전지, 포스트잇, 색연필
성명		학번		일자	20 . . .
활동	1. 단순한 아이디어는 빨리 말하고 머리에서 지우기 2. 좋은 아이디어는 마지막에 등장한다. 종료 1분 전임을 알린다. 3. 한사람이 하나 이상의 아이디어를 제시하라.				
활동 결과					

아이디어 선정하기

5 단계	아이디어 선정하기	소요 시간	30분	준비물	전지, 포스트잇, 색연필
성명		학번		일자	20 . . .
활동	1. 가장 좋은 아이디어 5개를 선정 2. 무조건 만장일치로 선택 3. 유사한 아이디어는 하나로 결합하여 선택 4. 5개의 아이디어에 점수를 부여하여 우선순위 정하기(1점~5점)				
활동 결과					

 활동지 2-6

아이디어 발표하기

6 단계	아이디어 발표하기	소요 시간	30분	준비물	전지, 포스트잇, 색연필
성명		학번		일자	20 . . .
활동	1. 팀별로 가장 높은 점수를 얻은 아이디어부터 발표 2. 다른 팀과 중복되는 아이디어는 체크 3. 팀별 중복 체크가 제일 많은 아이디어 논의하기 4. 팀별 가장 높은 점수 아이디어 논의하기 5. 전체 아이디어 중 5개 선택하기(자유토론)				
활동 결과					

브레인라이팅Brainwriting

1 브레인라이팅의 이해

"침묵의 브레인스토밍"[4] 기법이라고 한다. 브레인스토밍의 원리와 규칙을 그대로 적용하면서 자기 생각을 표현하는데 소극적인 참여자가 많을 때 유용한 방법이다. 침묵 속에서 참가자들의 사고를 최대한 표출시킬 수 있다는 장점이 있다. 그리고 단기간에 많은 양의 아이디어를 모을 수 있다.

그리고 브레인스토밍의 경우 모든 사람이 자신의 의견을 공유할 기회를 얻기는 어려운 상황이 존재한다. 일반적으로 주장력이 큰 사람(목소리 큰 사람)들이 토론을 지배하는 경향이 있기 때문이다. 이 경우에는 팀의 창의력을 제한하게 되고 **내성적인 참여자들의 숨겨진 보석 같은 아이디어**를 원천 차단하는 경우가 빈번하게 발생한다.

브레인라이팅은 자기 생각을 그대로 표출하면서 다른 사람들의 의견을 공유할 수 있으므로 전체 참여를 독려하는 차원에서는 오히려 브레인스토밍보다 효과적인 경우도 있다.

1. 브레인라이팅의 장점
   - 특정 개인의 지배적인 독선을 줄인다.
   - 자신의 아이디어를 방해받지 않는다.
   - 첫 대면의 서먹함을 없애고 의견을 모을 수 있다.

---

4 1968년 독일의 홀리게르에 의해 제안

2. 브레인라이팅의 단점

- 토론이나 의견 교류를 통한 시너지효과를 얻을 수 없다.
- 생각의 기준이 고정되어 창의적인 아이디어 도출이 어렵다.
- 의견을 기술할 때 다른 사람의 의견에 편승하여 중복된 내용만 기술될 가능성이 크다.

3. 브레인라이팅이 효과적인 경우

- 문제의 원초적인 원인을 찾고자 할 때
- 문제에 대한 해결책을 찾고자 때
- 핵심적이고 진보적인 아이디어를 수집하고자 할 때
- 참가자가 각자의 아이디어를 수정 및 개선하고자 할 때
- 의견을 제시한 사람의 익명성을 유지하고자 할 때
- 소수의 권위자에 지배되거나 위협이 생기는 것을 방지하고자 할 때

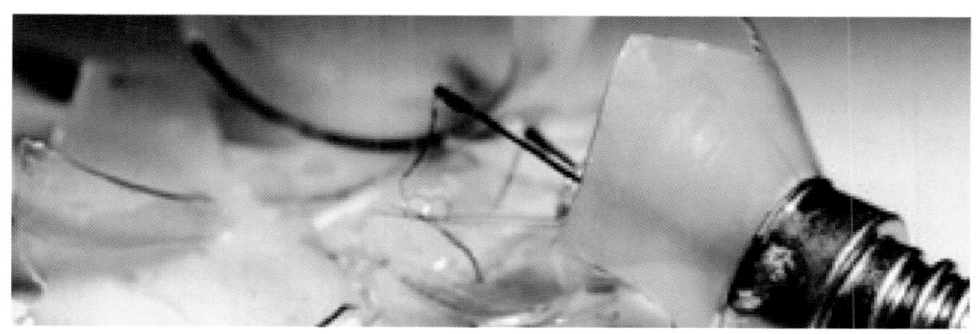

"브레인스토밍이 아이디어를 죽일 수 있다."
"브레인라이팅으로 전환하라."

4. 브레인라이팅의 예시

아래 예시는 시내버스 회사 차원에서 "승객을 위한 앱을 개선할 방법을 모색"하는 브레인라이팅 예시이다.

Date: August 18   **Focus:** How can we get more people to use our app and increase its value to passengers.

	Idea 1	Idea 2	Idea 3
Round 1	Redesign the icon to make it easier to find.	Include simple games for people to play during journeys.	Link the app to traffic news, to offer real time travel advice.
Round 2	Make the new icon look like a bus!	Could some of these games relate to local information?	Could we link the app to our bus-tracking system to let people see exactly where their bus is?
Round 3	Ensure that some parts or all of the app can work without internet.	Connect the app to GPS, to give personalized information and to track journeys.	Maybe also link to in-bus cameras, to show how busy a particular bus is?
Round 4	For the new icon, use the letter O from our company name as one of the bus wheels!	Use data to find out what the most popular journeys are – then use this to give more personalized suggestions and advice.	Could passengers use the app to report any issues during their journey?
Round 5	Allow users to read the content on our app in different languages.	Give people the options to store data about the number of journeys taken, distance traveled, etc.	Convert journey data into environmental information, e.g. amount of carbon saved.
Round 6	Use text-to-speech to help people with sight difficulties, too.	Allow users to buy and send travel vouchers as gifts via the app.	Gamify journeys and app usage. Award "green points" to users, which accumulate to earn rewards.

출처 : https://www.mindtools.com/pages/article/newct_86.htm

위 예시의 활동 결과 "고객이 쉽게 찾을 수 있도록 아이콘을 다시 디자인하자", "새 아이콘을 버스처럼 보이게 만들자", "앱의 일부 또는 전체가 인터넷 연결 없이도 작동할 수 있다면", "시각 장애가 있는 고객을 위해 텍스트를 음성으로 변환하는 기능이 있으면"이라는 다양한 아이디어를 볼 수 있다.

② 브레인라이팅의 절차

카드나 시트지를 사용하여 의견을 기록하고 수합하여 다른 사람 것과 교환하여 검토를 한다. 이 과정을 통하여 주제에 대한 추가적이거나 개선된 의견이 도출되게 된다. 6명의 참가자가 3가지 아이디어를 5분 만에 적는다고 하여 6.3.5 기법이라고 하는데 꼭, 참가자나 아이디어 개수를 한정할 필요는 없다.

1. 브레인라이팅 진행 절차
   ① 참여자는 원형으로 배치한다.
   ② 3단계[활동지3-3] 시트를 참가자 전원에게 각각 배포한다.
   ③ 참가자는 시트의 상단에 도전 주제를 기술한다.
   ④ 시트의 1라운드 세 개의 칸에 자신의 아이디어를 기술한다.
   ⑤ 오른쪽 사람에게 자신의 시트를 전달한다.
   ⑥ 전달받은 시트에 다음 라운드에 이전 라운드의 기술내용을 참고하여 아이디어를 기술한다.
   ⑦ 전체 라운드가 완료될 때까지 반복한다.
   ⑧ 자신의 1라운드 시트가 되돌아오면 각자의 아이디어를 발표한다.

1단계	참여자가 문제를 이해할 수 있게 간결하고 명확하게 설명
2단계	참여자는 시트지에 라운드 1에 해당하는 아이디어 3개를 기술
3단계	시트지를 오른쪽 사람에게 전달하고 왼쪽사람에게 받은 시트지에 자신의 생각 3개를 추가 • 라운드 6까지 반복, 라운드 마다 시간 증가
4단계	시트를 취합하여 아이디어 수집
5단계	아이디어를 평가하고 의미있는 결과를 도출

브레인라이팅의 주요 절차

팀 구성하기 - 팀원 소개

1 단계	팀 구성하기 - 팀원 소개	소요 시간	20분	준비물	전지, 포스트잇, 색연필
성명		학번		일자	20 . . .
활동	1. 팀원별 이름을 적고, 각자의 주요 관심사나 본인을 상징적으로 표현할 수 있는 키워드를 3개 붙인다. 2. 붙여진 키워드를 참고하여 상대방에게 묻고 싶은 질문을 하나씩 붙여 준다. 3. 각자 자신을 1분 이내로 소개한다. (요즘 관심 있는 키워드를 중심으로)				
활동 결과					

주제에 대한 설명과 지식 공유하기

2 단계	주제에 대한 설명과 지식 공유하기	소요 시간	20분	준비물	전지, 포스트잇, 색연필
성명		학번		일자	20 . . .
활동	1. 주제에 대해서 교수자가 간결하고 명확하게 설명하기 2. 팀원과 관련 지식을 자유롭게 공유하기(인터넷 등 검색 가능) 3. 일정한 시간을 두고 아이디어 생각하기				
활동 결과					

 활동지 3-3

참여자 아이디어 공유하기

3 단계	참여자 아이디어 공유하기	소요 시간	30분	준비물	전지, 포스트잇, 색연필
성명		학번		일자	20 . . .
활동	1. 한 라운드는 5분으로 한다. 2. 총 6 라운드로 한 라운드에 3개의 아이디어를 기술한다. 3. 한 라운드가 끝나면 오른쪽 사람에게 전달하여 반복한다. (라운드 마다 시간을 조금씩 늘려도 된다)				

활동 결과	주제			
	라운드	아이디어1	아이디어2	아이디어3
	1			
	2			
	3			
	4			
	5			
	6			

아이디어 취합 및 결과발표

4 단계	아이디어 취합 및 결과발표	소요 시간	30분	준비물	전지, 포스트잇, 색연필
성명		학번		일자	20 . . .
활동	1. 아이디어 중 중복된 것을 하나로 만든다. 2. 공유한 아이디어 줄 가장 좋은 아이디어를 선택하기 위해 우선순위를 정한다. 3. 선정된 아이디어를 발표한다.				

활동 결과	주제	
	우선순위	내용
	1	
	2	
	3	
	4	
	5	
	6	
	결과평가	

SECTION 03 스캠퍼 SCAMPER

1 스캠퍼의 이해

스캠퍼 기법은 아이디어를 구하는 새로운 발상법에 대한 방법이다. 기존 도구의 기능에 다른 기능을 추가하거나, 복잡한 문제의 해결방안을 도출하는 데 많이 사용한다. 특히, 공익적 정책을 수립하는 과정에서 많이 사용하는 방법으로 **강제연결 기법**이다.

오스본(Osborn)의 체크리스트 기법의 일종으로 기존의 내용을 개선하고 발전시키려는 방법으로 다음과 같은 7가지 방법으로 밥 에벌러(Bob Eberle)가 재구성하였다.

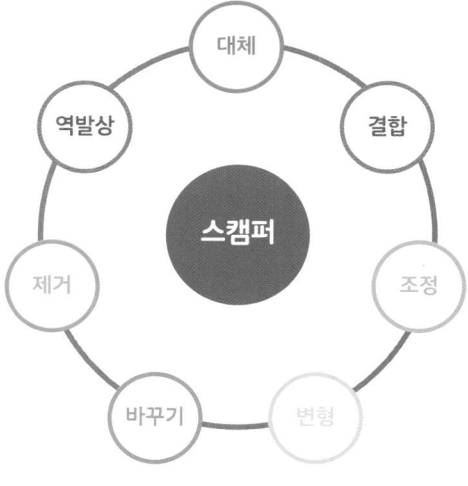

스캠퍼의 7가지 요소

2 스캠퍼의 구성 요소

1 Substitute

▪ 대체하기

용도, 재료, 장소, 시간, 공정 등을 다른 것으로 바꿀 수 있을까? 이러한 결과로 나온 것이 유리컵을 대신한 물에 젖지 않는 종이컵, 무거운 쇠젓가락을 대체한 나무젓가락 등이 대표적인 대체하기의 결과물이다.

■ 대체하기의 질문

1 • 개선을 위하여 무엇을 대체할 수 있는가?

2 • 장소, 시간, 재료, 사람을 어떻게 대체할 수 있는가?

3 • 다른 부품으로 대체하거나 변경할 수 있는가?

4 • 사람이나 규칙을 변경할 수 있는가?

5 • 이름을 바꿀수 있는가?

6 • 다른 재료를 사용해도 되는가?

7 • 절차를 바꾸어도 되는가?

8 • 모양, 색상, 소리, 냄새는 그대로 둬야 하는가?

9 • 다른 프로젝트에서 유사한 동작이나 모양을 본적이 있는가?

10 • 대상에 대한 고정관념을 버릴 수 있는가?

생수 자동판매기를 개발을 한 형을 위하여 물에 쉽게 젖지 않는 타블렛 종이를 이용하여 종이컵을 발명한 휴그무어(1907년)

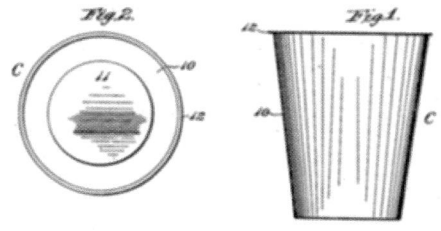

휴그무어가 특허출원을 위해 제출한 종이컵의 개념도

② **C**ombine

■ 결합하기

서로 다른 것(재료, 기능, 재료 등)을 합치면 어떨까? 이 결과물의 대표적인 예가 지우개가 달린 필기구이다. 시계겸용 블루투스 스피커, 그리고 우리가 사용하는 휴대폰도 결합하기의 산물이다. 휴대폰은 사진기, 오디오 플레이어, 계산기 외에 많은 기능을 결합한 "결합하기"의 결정체라고 할 수 있다. 그 외에도 복사기와 팩스, 프린터를 결합한 복합기도 좋은 예가 된다. 즉, 다른 기능을 가진 도구를 결합하여 편리하고 상품성이 있는 결과물을 도출하는 것이다.

또한, 특정 도구 외에는 책 제목, 영화 제목, TV 프로그램 제목을 정할 때도 결합의 발성법이 널리 이용되고 있다. 기존의 용어들을 결합하여 새로운 의미를 부여하는 것이다.

■ 결합하기의 질문

1	• 결합할 수 있는 아이디어, 재료, 기능, 프로세스, 사람, 제품은 무엇인가?
2	• 결합하거나 병합할 수 있는 요소는 있는가?
3	• 사용 횟수(수명)를 최대화하기 위해 무엇을 결합해야 하는가?
4	• 비용을 절감하기 위해 무엇을 결합해야 하는가?
5	• 어떤 재료를 결합할 수 있는가?
6	• 어디에서 시너지를 만들 수 있는가?
7	• 결합 또는 분리할 수 있는 가장 좋은 요소는 무엇인가?

가장 대표적인 결합하기의 산출-지우개가 달린 연필

■ 조정, 적용, 응용하기

다른 요소를 용도나 기능을 응용하여 조정하면 어떨까? 장미 덩굴에서 철조망을 생각했듯 자연을 관찰하여 응용한 결과물이 이에 해당한다. 우리가 일상적으로 사용하는 찍찍이도 엉겅퀴 관찰을 통하여 응용된 발상이다. 프로펠러는 떨어지는 열매의 두 날개가 도는 모습을 보고 아이디어를 얻었듯 자연의 세밀한 관찰력이 응용 발상의 가장 기본이 된다.

■ 조정, 적용, 응용하기의 질문

1	• 어느 부분을 변경할 수 있는가?
2	• 요소의 특성을 변경할 수 있는 부분은 어디인가?
3	• 특정 그룹을 조정할 수 있는가?
4	• 원하는 결과를 얻기 위해 조정할 있는 방법은 무엇인가?

담쟁이넝쿨이 철조망으로

4 **M**odify

■ 변형, 확대, 축소하기

색, 소리, 형태, 크기, 강도를 바꾸면 어떨까? 작은 노트북도 두꺼운 모니터를 변형한 얇은 패널 모니터, 선풍기를 축소한 휴대용 손 선풍기는 변형하기의 결과물이다.

■ 변형, 확대, 축소하기의 질문

1 • 확대나 축소할 부분이 있는가?

2 • 중요도를 낮추거나 삭제할 부분이 있는가?

3 • 버튼, 색상, 크기를 과장할 수 있는가?

4 • 특정 그룹을 확대할 수 있는가?

5 • 무엇을 더 크고 강하게 할 수 있는가?

6 • 속도와 빈도를 높일 수 있는 부분이 있는가?

7 • 다른 기능을 추가할 수 있는가?

8 • 가치를 추가하려면?

9 • 분할, 축소, 제거할 수 있는 부분이 있는가?

10 • 동작 방법을 바꿀수 있는가?

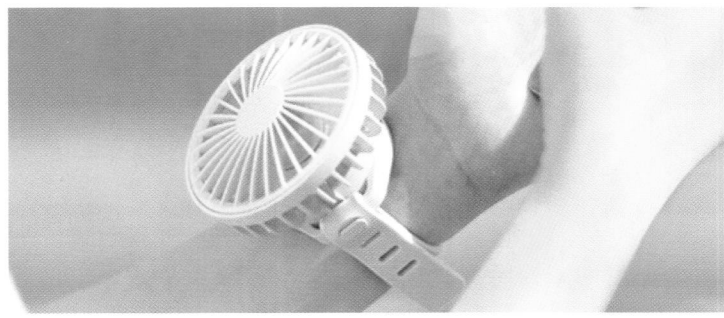

선풍기를 축소한 손 선풍기

5 Put to other use

■ 용도 바꾸기

용도를 개선, 개량하여 다른 용도로 바꾸면 어떨까? 이에 가장 대표적인 것이 우리가 사용하는 포스트잇이다. 애초 끈적임과 접착력이 약한 실패한 접착제에서 발원되었다. 즉, 생각의 방향을 전환하니 새로운 용도가 생겨난 경우이다.

■ 용도 바꾸기의 질문

1	• 다른 용도로 사용할 수 있는가?
2	• 아이들과 노인은 그것을 어떻게 사용하는가?
3	• 장애를 가진 사람은 그것을 어떻게 사용하는가?
4	• 주 사용 대상 외의 사람들이 얻을 수 있는 이점은 무엇인가?
5	• 제품에 대한 다른 사용자층이 있는가?
6	• 현재 모양이나 형태로 사용하는 새로운 방법이 있는가?
7	• 제품을 수정하면 다른 용도가 생기는가?
8	• 재활용할 수 있는 방법이 있는가?

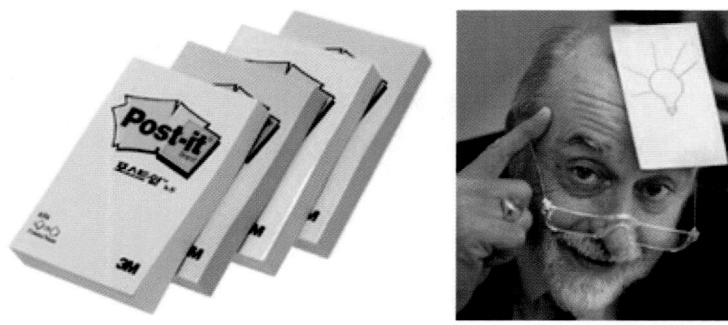

실패한 접착제가 찬송가의 책갈피 용도. 그리고 포스트잇(아서 프라이)

⑥ Eliminate

▪ 제거하기

일부를 삭제하거나 생략하면 또는 나누고 압축하면 어떨까? 자판이 없는 휴대폰은 더욱 큰 화면을 이용할 수 있게 되었다. 이러한 생각의 전환은 기술을 발전시키는 근원이 되기도 한다. 지붕이 없는 오픈카도 이러한 제거하기 발생에서 만들어진 기술의 산물이다.

▪ 제거하기의 질문

1 • 기능을 변경하지 않고 제거할 수 있는 부분은?

2 • 시간이나 구성요소를 줄일 수 있는가?

3 • 구성요소 일부를 제거할 수 있는가?

4 • 가격을 절감할 수 잇는가?

5 • 제품을 특정 부분을 나눌수 있는가?

6 • 무엇을 위해 무엇을 제거할 수 있는가?

자동화? 값비싼 웨이터를 제거하면 이익이 증가

■ **역발상**

순서나 성분, 크기, 원인, 결과를 바꾸면 어떨까? 가장 대표적인 예가 양면 복사기이다. 종이를 수작업으로 뒤집지 않아도 되는 편리함을 제공한다. 독특한 시각으로 남다른 예술작품을 남기는 예술가들이 대부분 역발상의 대가이다.

■ **역발상의 질문**

1	• 재배열할 수 있는 방법이 있는가?
2	• 구성 요소나 레이아웃을 교체할 수 있는가?
3	• 모양이나 일정을 변경할 수 있는가?
4	• 프로세스의 일부가 반대로 동작하면 어떻게 되는가?
5	• 특성 요소를 바꾸면 어떤 동작을 하게 되는가?

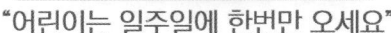
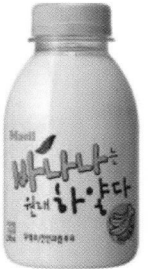

"어린이는 일주일에 한번만 오세요"

마케팅 전략 중에 역발상 예시가 많다. 맥도날드의 광고 문구를 성장기 유해성을 인정하는 기업 정신으로 보고 어차피 먹을 거면 맥도날드라는 인식으로 매출 증가

 활동지 4-1

제품 및 서비스 정하기

1 단계	제품 및 서비스 정하기	소요 시간	30분	준비물	전지, 포스트잇, 색연필
성명		학번		일자	20 . . .
활동	1. 기존에 사용하는 제품이나 서비스 중에서 불편하거나 개선이 필요한 요소에 대해 논의한다. 2. 새롭게 개발하고자 하는 아이디어도 관계없다.				
활동 결과					

 활동지 4-2

스캠퍼 7가지 요소에 대해 질문하기

2 단계	스캠퍼 7가지 요소에 대해 질문하기	소요 시간	30분	준비물	전지, 포스트잇, 색연필
성명		학번		일자	20 . . .
활동	1. 7가지 요소에 대해 질문하기 2. 본문의 요소별 질문 예시를 하나씩 언급하며 질문해 보기 3. 가능하면 가치성이나 실용성을 고려하여 의견 제시하기				

활동 결과	주제	
	요소	의견제시
	대체	
	결합	
	조정	
	변형	
	용도 바꾸기	
	제거	
	역발상	

 활동지 4-3

아이디어 가치 판단하기

3 단계	아이디어 가치 판단하기	소요 시간	30분	준비물	전지, 포스트잇, 색연필
성명		학번		일자	20 . . .
활동	1. 제시된 아이디어를 가치, 혜택, 속성, 비용, 시장성을 중심으로 가치를 판단한다. 2. 적용 가능성에 대한 실용성을 우선적으로 적용해 본다.				

활동 결과	주제		
	요소	의견제시	가치판단
	대체		
	결합		
	조정		
	변형		
	용도 바꾸기		
	제거		
	역발상		

아이디어 채택하기

4 단계	아이디어 채택하기	소요 시간	30분	준비물	전지, 포스트잇, 색연필
성명		학번		일자	20 . . .
활동	1. 7가지 요소 중 3단계 논의를 통한 가장 가치성이나 실용성이 높은 아이디어를 채택한다. 2. 채택된 아이디어를 바탕으로 다시 한 번 발전사항을 논의하고 결과를 발표한다.				

활동 결과	주제		
	요소	의견제시	채택여부 및 발전사항
	대체		
	결합		
	조정		
	변형		
	용도 바꾸기		
	제거		
	역발상		

SECTION 04 속성 열거법 Attribute Listing

1 속성 열거법의 이해

속성 열거법은 1930년 네브라스카 대학의 로버트 크로포드(R. Crawford) 교수에 의해 공정한 제품과 서비스 개선 기회를 고민하면서 유래되었다. 대상의 특징을 기반으로 특징을 변화시켜 새로운 아이디어를 얻는 방법이다. 문제의 개선책을 찾는데 적용하기 유용하다.

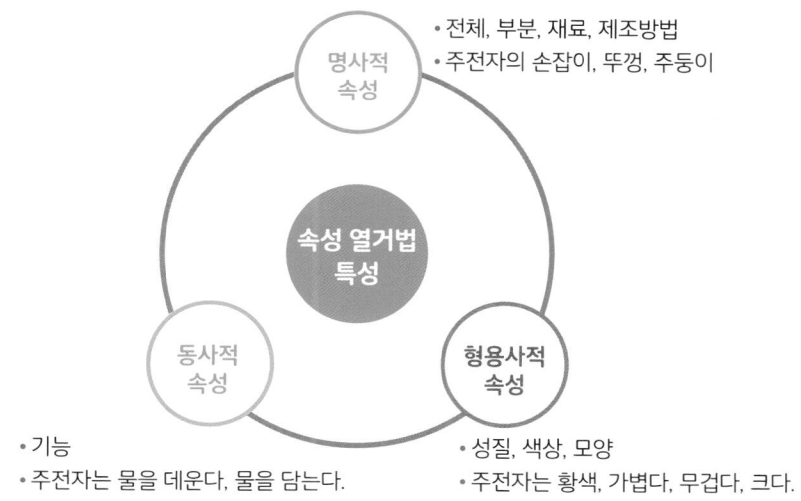

속성 열거법의 3가지 속성(예시: 주전자)

대상의 속성 열거는 세 가지 특성에 기반한다.

- 명사적 속성 : 구성부품, 부품의 재질, 제조법
- 형용사적 속성 : 색상, 모양, 성질
- 동사적 속성 : 기능적 동작

2 속성 열거법 수행 절차

고려하기 위한 속성이 많으면 검토하는 시간이 너무 길어 오히려 결과를 도출하는데 효율성이 저하될 수 있다. 가장 중요하다고 생각하는 속성을 선정하는 것이 중요하다. 전체적인 수행 절차는 다음과 같다.

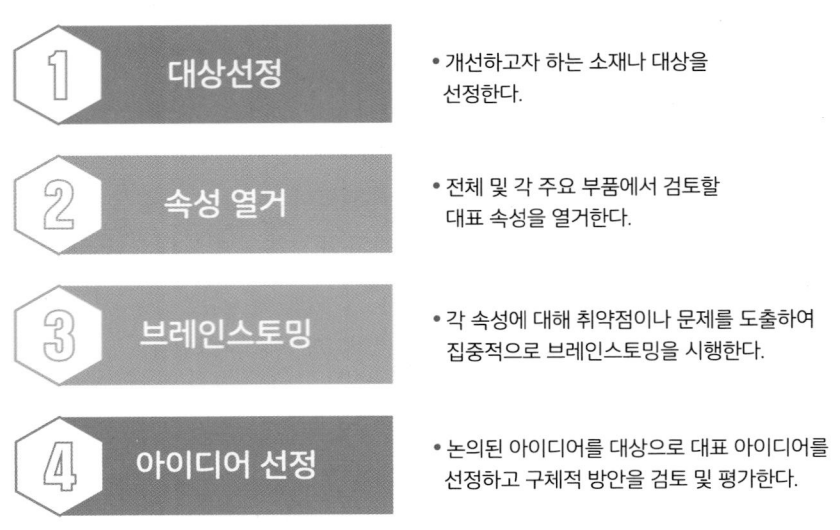

1 대상선정
- 개선하고자 하는 소재나 대상을 선정한다.

2 속성 열거
- 전체 및 각 주요 부품에서 검토할 대표 속성을 열거한다.

3 브레인스토밍
- 각 속성에 대해 취약점이나 문제를 도출하여 집중적으로 브레인스토밍을 시행한다.

4 아이디어 선정
- 논의된 아이디어를 대상으로 대표 아이디어를 선정하고 구체적 방안을 검토 및 평가한다.

속성 열거법의 진행 절차

 활동지 5-1

대상 선정하기

일상생활에서 사용하는 일반적인 물건 중에서 불편함을 느낀 주제를 팀별 논의를 통해 하나를 선정한다.

1 단계	대상 선정하기	소요 시간	20분	준비물	전지, 포스트잇, 색연필
성명		학번		일자	20 . . .
활동	1. 팀원이 자유롭게 의논하여 개선이 요구되는 제품을 하나 선정한다. 2. 누구나 사용하기 손쉬운 주제나 공통 관심사에서 선정하는 것이 좋다.				
활동 결과	주제				
	선정이유 (개선 사항을 중심으로)				

속성 열거하기

전체나 그룹별로 부품을 구분하여 검토할 대표 속성을 열거한다. 속성은 영역별 3~4개 정도로 기술한다.

2 단계	속성 열거하기		소요 시간	20분	준비물	전지, 포스트잇, 색연필
성명			학번		일자	20 . . .
활동	1. 대표 속성을 열거할 때는 개선이 요구되는 부품을 상상하면서 지정하는 것이 좋다. 2. 처음에는 모든 속성을 자유롭게 열거하고 팀원들의 다수의 의견이 일치되는 속성을 선택한다.					
활동 결과	주제					
	명사적 속성					
	형용사적 속성					
	동사적 속성					

 활동지 5-3

브레인스토밍 시행

각 속성을 분석하면서 해당 부품에 대한 취약점이나 문제 도출을 위한 브레인스토밍을 시행한다.

3 단계	브레인스토밍 시행	소요 시간	30분	준비물	전지, 포스트잇, 색연필
성명		학번		일자	20 . . .
활동	1. 한 번에 하나의 대표 속성을 집중적으로 시행한다. 2. 각 속성은 순차적으로 브레인스토밍을 하고 반복하여 시행한다. (2회)				

활동 결과	주제		
	구분	**속성**	**취약점 및 개선 요구사항**
	명사적 속성		
	형용사적 속성		
	동사적 속성		

아이디어 선정

논의된 아이디어 중에서 가장 현실적인 아이디어를 선정한다.

4 단계	아이디어 선정		소요 시간	30분	준비물	전지, 포스트잇, 색연필
성명			학번		일자	20 . . .
활동	1. 대표 아이디어를 선정하고 구체적인 방안을 검토한다. 2. 방안에 대한 적용 가능성을 평가한다.					

활동 결과	주제		
	구분	속성	대표 아이디어
	명사적 속성		
	형용사적 속성		
	동사적 속성		
	최적 아이디어 선정		

SECTION 05 제품 개선 체크리스트^{PICL}

1 제품 개선 체크리스트법의 이해

제품 개선 체크리스트법(Product Improvement CheckList)은 1988년 오클라호마 대학의 밴건디(VanGundy)교수에 의해 제품에 관한 새로운 아이디어 생성을 돕기 위해 고안된 기법이며 새로운 사고패턴을 제공하는 특징이 있다.

제품 개선 체크리스트의 자극 영역

이 기법에는 다수의 아이디어에 대한 자극 키워드를 네 가지 영역으로 구분하여 고려한다.

- **Try to**

  팽창, 비틀기, 수축, 기체화, 액체화, 연결 등의 **시도**

  ➡️ 물에 가라앉지 않는 휴대폰(물에 닿으면 팽창시켜)

- **Make it**

  투명, 부드럽게, 두껍게, 사각형, 딱딱하게 등의 **제작**

  ➡️ 얇게 만들어진 액정화면

- **Think of**

  시한폭탄, 박테리아, 4계절 등 관점의 **생각**

  ➡️ 일정 시간이 되면 자동으로 꺼지는 차량 실내등(시한폭탄)

- **Take Away or Add**

  동작 기대, 알코올 등의 **제거 또는 추가**

  ➡️ 휴지통 근처에 가면 자동으로 열리는 뚜껑(기대)

Try to	Make it	Think of	Take away or add
Divide it	Self-destruct	Credit cards	Ball bearings
Weave it	Grow	Televisions	Baskets
Assemble it	Portable	Rain	Padding
Spread it	Collapsible	Turtles	Pipes
Wind it up	Magnetic	Toothpaste	Elastic
Dehydrate it	Unbreakable	Banks	Keys
Ventilate it	Striped	Disappearing ink	Accessories
Dissolve it	Triangular	Silent alarms	Decorations

출처 : Arthur B. VanGundy, Ph.D

2   제품 개선 체크리스트법 수행 절차

인간은 연상되는 요소를 상호 연결하여 아이디어를 생각한다. 이러한 연관성 중 상당수는 하나의 개념이 다른 개념으로 이어지는 무작위적인 사고에서 발생하며 간단한 예로 나무를 대상으로 인간은 각각 잎사귀, 책상, 의자 등의 다양한 요소로 생각한다는 것이다. PICL 기법은 **강제연결 기법**으로 무작위로 선택된 단어가 다른 개념으로 변이하면서 새로운 솔루션을 도출 할 수 있다는 것이다. 전체적인 수행 절차는 다음과 같다.

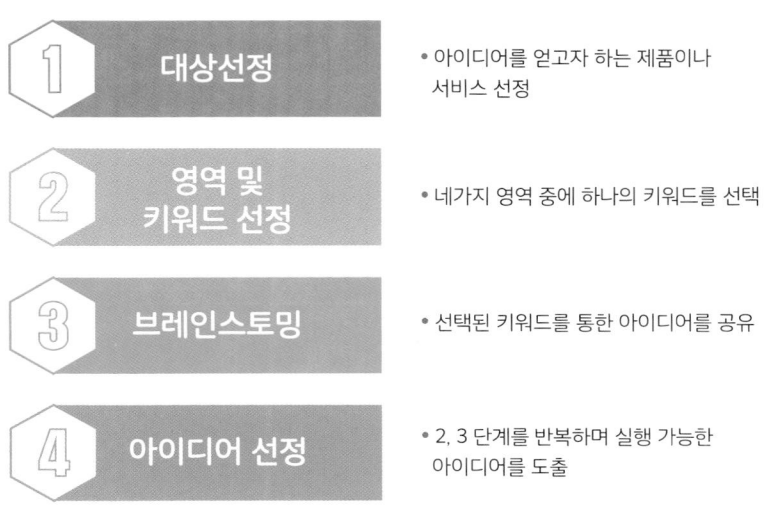

1	대상선정	• 아이디어를 얻고자 하는 제품이나 서비스 선정
2	영역 및 키워드 선정	• 네가지 영역 중에 하나의 키워드를 선택
3	브레인스토밍	• 선택된 키워드를 통한 아이디어를 공유
4	아이디어 선정	• 2, 3 단계를 반복하며 실행 가능한 아이디어를 도출

제품 개선 체크리스트법의 진행 절차

 **활동지 6-1**

대상 선정하기

아이디어를 얻고자 하는 제품이나 서비스를 선정한다.

1 단계	대상 선정하기	소요 시간	20분	준비물	전지, 포스트잇, 색연필
성명		학번		일자	20 . . .
활동	1. 팀원이 자유롭게 의논하여 개선이 요구되는 제품을 하나 선정한다. 2. 누구나 사용하기 손쉬운 주제나 공통 관심사에서 선정하는 것이 좋다.				
활동 결과	주제				
	선정이유 (개선 사항을 중심으로)				

영역 및 키워드 선정하기

네 가지 영역 중에 자극이 될 수 있는 하나의 키워드를 선택한다.

2 단계	영역 및 키워드 선정하기		소요 시간	20분	준비물	전지, 포스트잇, 색연필
성명			학번		일자	20 . . .
활동	1. 영역별로 자극이 될 수 있는 하나의 키워드를 선택한다. 2. 키워드의 선택은 무작위로 선택해도 되고 팀원들의 여러 의견을 모아 선택해도 관계없다. (단계2와 3은 지속해서 반복한다.)					
활동 결과	주제					
	Try to (시도)					
	Make it (제작)					
	Think of (사고)					
	Take Away or Add (제거/첨가)					

브레인스토밍 시행

선택된 키워드를 통한 아이디어를 공유하기 위한 브레인스토밍을 시행한다.

3 단계	브레인스토밍 시행	소요 시간	30분	준비물	전지, 포스트잇, 색연필
성명		학번		일자	20 . . .
활동	1. 한 번에 하나의 키워드를 집중적으로 시행한다. 2. 각 키워드는 순차적으로 브레인스토밍을 시행한다. (단계2와 3은 지속해서 반복한다.)				

활동 결과	주제		
	구분	키워드	아이디어
	Try to (시도)		
	Make it (제작)		
	Think of (사고)		
	Take Away or Add (제거/첨가)		

아이디어 선정

2, 3단계를 반복 실행하면서 가능한 많은 아이디어를 도출하고 논의를 거쳐 영역별 최종 아이디어를 선정한다.

4 단계	아이디어 선정		소요 시간	30분	준비물	전지, 포스트잇, 색연필
성명			학번		일자	20 . . .
활동	1. 대표 아이디어를 선정하고 구체적인 방안을 검토한다. 2. 방안에 대한 적용 가능성을 평가한다.					

활동 결과	주제		
	구분	키워드	대표 아이디어
	Try to (시도)		
	Make it (제작)		
	Think of (사고)		
	Take Away or Add (제거/첨가)		

1 기회의 원 기법의 이해

기회의 원 기법[5]은 임의성을 이용해 문제의 속성을 선택하고 선택된 속성들을 결합하는 과정으로 아이디어를 도출하는 기법이다. 속성 열거법과 비슷하지만, 소요 시간이 다소 긴 편이고 예상치 못한 아이디어를 도출할 수 있는 장점이 있으며 대표적인 **강제연결 기법**이다.

가방에 대한 기회의 원

---

5 1991년 미국의 창의성 컨설턴트인 미켈코에 의해 개발

➡️ 위 가방에 대한 속성을 대상으로 기회의 원 기법을 적용한다면,

첫 번째 주사위가 **4번의 기능**, 두 개의 주사위를 던져 나온 합이 **11번 보안**이 나왔다. 이 속성을 결합하여 연상되는 단어나 기능 등을 탐색한다.

"비밀 보관 장소", **"열쇠가 달린 가방"**, **"보안 경고음"** 등이 나왔다.

이러한 연상들로부터 브레인스토밍을 시행하여 아이디어를 도출한 결과, 다음과 같은 개선 사항이 나왔다.

👍 "가방 내에 **보안 주머니**를 만들어 은닉 장소를 둔다"

👍 "열쇠보다 **지문인식**을 통한 잠금장치를 둔다"

👍 "**스마트 폰의 지문인식**으로만 잠금장치를 개방할 수 있게 한다"

👍 "중요한 서류 가방이라면 강제로 가방을 열려고 하면 **보안 사이렌**이 울리게 한다"

서류 가방에 지문인식, 경고음, 블루투스 통신 기능 내장

먼저, 새로운 제품이나 개선 요구 대상에 대한 공유를 시간을 갖고 원을 그린 다음에 시계 방향으로 숫자를 적는다. 가장 대표적인 문제나 속성을 기입한다. 하나의 주사위를 던져 나온 속성과 두 개의 주사위를 던져 합에 해당하는 속성을 선택한다. 그리고 두 속성을 강제로 연결하여 연상되는 특징이나 문제 해결을 위한 고려사항을 논의한다. 전체적인 진행 절차는 다음과 같다.

1	문제 정의	• 신제품 개발 및 기존 제품에 대한 개선과 관련된 문제를 기술하고 정보를 공유한다.
2	속성 기술	• 원을 그리고 시계방향으로 속성을 기술 • 문제/기능/특성 등을 고려
3	속성 선택	• 주사위를 던져 첫 속성을 선택 • 주사위 2개를 던져 합으로 추가 속성 선택
4	강제 연결	• 선택된 두개의 속성을 결합하여 자유롭게 특징을 기술
5	아이디어	• 연상된 내용을 기반으로 문제 정의와 어떤 연관성이 있는지 생각하면서 아이디어 탐색

기회의 원 기법의 진행 절차

문제 정의

신제품 개발이나 기존 제품에 대한 개선과 관련된 문제를 기술하고 정보를 공유한다.

1 단계	문제 정의	소요 시간	20분	준비물	전지, 포스트잇, 색연필
성명		학번		일자	20 . . .
활동	1. 가능하면 기본 제품을 선정한다. 팀원들이 일상생활에 사용하는 일반적인 제품을 선정하는 것이 더 활발한 활동에 도움이 된다. 2. 선정된 제품을 대상으로 다양한 탐색 방법을 동원하여 정보를 공유한다.				
활동 결과	주제				
	정보 공유				

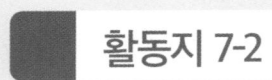

속성 기술

속성은 선정된 제품의 대표 속성이나 개선이 요구되는 영역으로 확장해도 된다. 문제, 기능, 특성, 보완적인 요소를 고려한다.

2 단계	속성 기술	소요 시간	20분	준비물	전지, 포스트잇, 색연필
성명		학번		일자	20 . . .
활동	1. 시계방향으로 속성을 기술할 때는 6 이하는 특성 등의 제품의 외향적인 요소를 6 초과는 기능이나 문제 등을 적시한다. 2. 속성 기술은 이후 단계의 연상이나 브레인스토밍의 근간이 되므로 중복된 의미가 있는 속성은 되도록 피한다.				
활동 결과	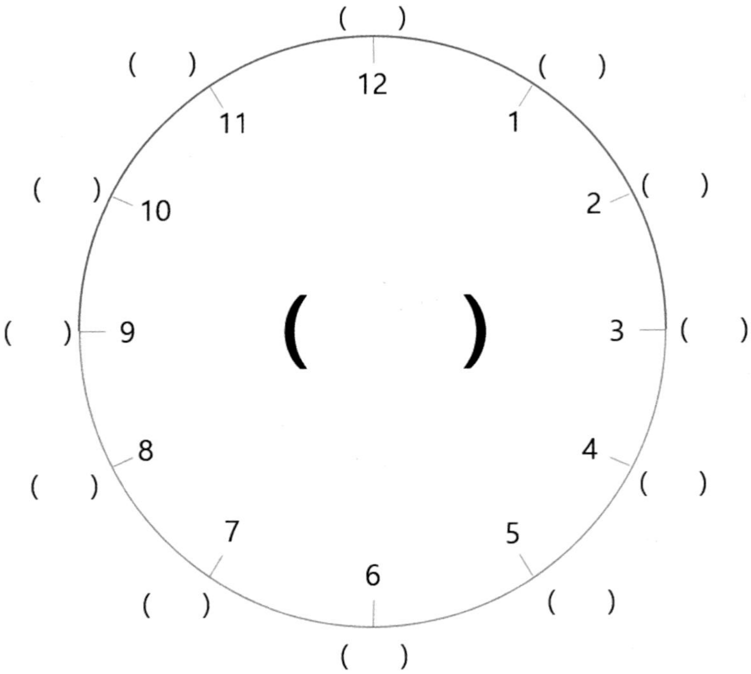				

( )

11 ( )
12
( )
1

( )
10

2 ( )

( ) 9

( )

3 ( )

( )
8

4

( )

7

5

6

( )

( )

 활동지 7-3

속성 선택 및 강제연결

주사위를 던져 속성을 2개의 속성을 선택하고 두 속성을 결합하여 연관된 단어나 기능 등을 기술한다.

3 단계	속성 선택 및 강제연결		소요 시간	30분	준비물	전지, 포스트잇, 색연필
성명			학번		일자	20 . . .
활동	1. 주사위 하나를 던져 첫 속성을 선택한다. 2. 주사위 두 개를 던져 합으로 두 번째 속성을 선택한다. 3. 두 속성을 결합하여 연상되는 단어나 기능을 기술한다. (3회 이상 반복한다)					

활동 결과	주제			
	속성1	속성2		결합하여 연상되는 단어

아이디어 탐색

3단계에서 기술한 연상 단어를 대상으로 문제 정의와 어떤 연관성이 있는지 브레인스토밍을 시행한다.

4 단계	아이디어 탐색	소요 시간	30분	준비물	전지, 포스트잇, 색연필
성명		학번		일자	20 . . .
활동	1. 한 번에 하나의 연상 단어를 대상으로 집중적인 브레인스토밍을 시행한다. 2. 여러 아이디어 중에서 최상의 아이디어를 선정하여 발표한다.				

활동 결과	주제			
	속성1	속성2	연상 단어	아이디어
	최종 아이디어			

SECTION 07 마인드맵Mind map

1 마인드맵의 이해

마인드맵은 생각을 시각화하여 다른 사람들을 쉽게 이해시킬 수 있는 도구이다. 중심 문제를 해결하기 위한 키워드나 요소를 이미지 형태의 방사 모양으로 연결하는 과정으로 아이디어나 발상을 정리하는 방법이다.

1970년대 토니 부잔에 의해 창안되었으며, 정보를 연결하여 이미지화함으로써 기억력을 향상하고 체계적인 전개를 통하여 주장을 논리적으로 표현할 수 있다는 장점이 있다. 또한, 복잡한 문제가 요소별 분리되어 명료해지고 광의적인 관점에서 문제를 바라볼 수 있는 안목이 생긴다.

토니 부잔은 영국의 심리학자로 생각하고 있는 것, 기억하고 있는 내용을 마음속에 지도를 그리듯이 줄거리를 이해하며 정리하는 용도로 고안하였다.

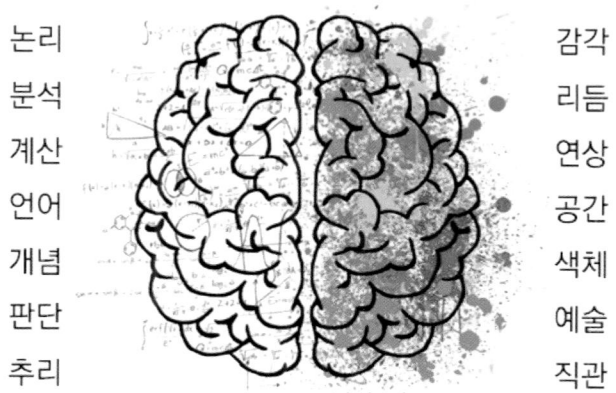

논리 분석 계산 언어 개념 판단 추리 / 감각 리듬 연상 공간 색체 예술 직관

좌뇌는 단일처리(Single Processing), 우뇌는 다중처리(Multi Processing)

사람 두뇌의 좌뇌는 논리, 분석, 계산, 언어 등의 이성적 기능과 우뇌의 리듬, 연상, 공간, 색채와 같은 감성적 기능으로 구분된다. 마인드맵은 이러한 뇌 기능을 바탕으로 좌뇌 요소인 핵심단어와 우뇌 요소인 색과 그림을 사용하여 더욱 효과적인 표현과 학습능력을 발휘할 수 있게 된다.

또한, 마인드맵은 텍스트보다 이미지를 많이 사용한 것이 좋다. 일반적으로 텍스트 정보는 한 번에 하나의 단어만 집중하지만, 이미지는 복수의 대상을 혼합하여 새로운 창의적 요소를 도출하는 데 유리한 장점이 있다.

이미지를 처리하는 우뇌는 좌뇌와 비교해 정보처리를 멀티 프로세싱할 수 있으므로 월등한 처리 능력을 갖추고 있다. 가능한 우뇌를 활성화하기 위한 이미지 기반 사고가 중요한 이유이다. 또한, 마인드맵은 창의력이나 사고력 외에도 기억력과 집중력이 높이는 유용한 두뇌사용기법이다.

2 마인드맵의 장점

1	• 핵심단어의 나열을 통하여 전체적인 구조와 정리의 시간을 절약할 수 있다.
2	• 주요 내용을 핵심단어 위주로 쉽게 파악할 수 있다.
3	• 시각적인 자극을 통하여 기억력를 향상시켜 준다.
4	• 어휘력과 더불어 사고의 전체적인 편람을 정리할 수 있다.

마인드맵의 장점

7. 그룹화를 위해 마인드맵 전체에서 여러 색상을 사용

동일 그룹이나 카테고리는 색상으로 구분

출처 : https://mindmapsunleashed.com/

8. 자신의 개인적 스타일의 마인드 매핑을 개발

회화화 능력이 있다면 이미지를 강조, 그렇지 않으면 텍스트를 강조

출처 : https://mindmapsunleashed.com/

9. 강조 표시를 사용하고 마인드맵에 연관성을 표시

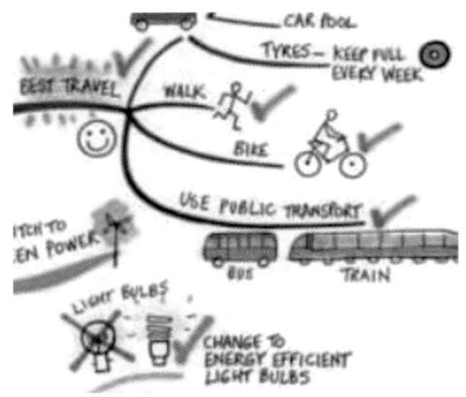

실천할 것과 실천하고 있는 요소 등의 식별
출처 : https://mindmapsunleashed.com/

10. 방사형 계층 구조 또는 가지에 포함된 요점은 일관성을 유지

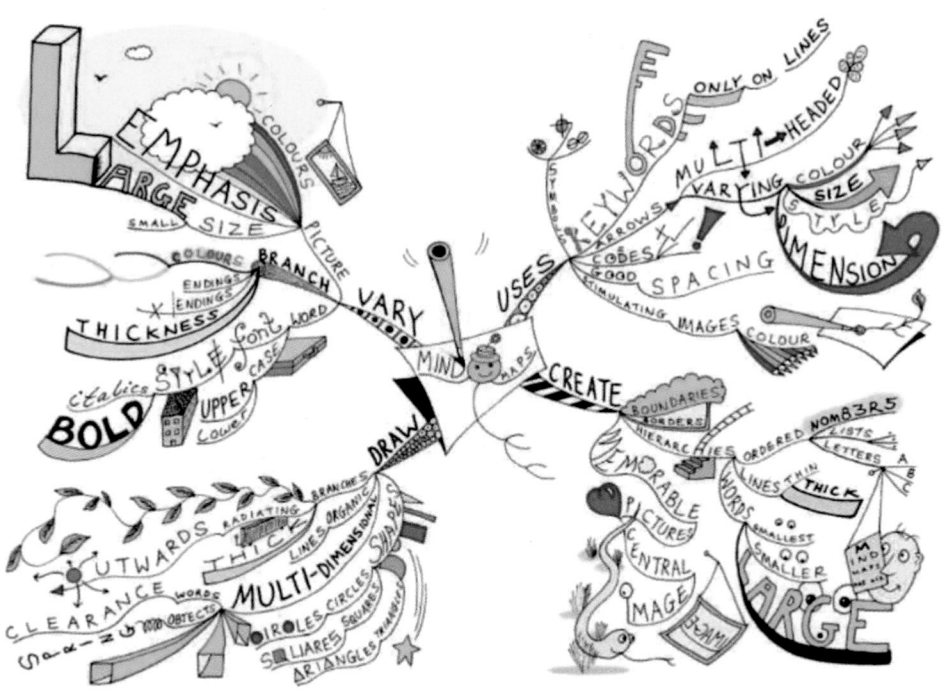

How To Mind Map
출처 : https://mindmapsunleashed.com/

 활동지 8-1

현상과 사실을 통한 전개

마인드맵의 첫 실습으로 "나의 대학생활"을 주제를 중심으로 제시된 세부 가지별로 핵심 키워드를 각 3개 이상 열거하고 세부 가지로부터 3단계 이상 확장해 보자. – 개별 활동

1 단계	현상과 사실을 통한 전개	소요 시간	30분	준비물	전지, 포스트잇, 색연필
성명		학번		일자	20 . . .
주제	**나의 대학생활**				

나의 대학생활

(교과)

(비교과) 나의 대학생활

핵심 키워드	

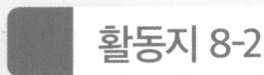

서로의 다름을 통한 이해(생각 읽기)

두 번째 실습은 존재하는 사실과 더불어 자기 생각을 표현하여 동료들과 공유해 보면서 서로의 다름을 이해하기 위해 "나의 학과와 전공"이라는 주제로 마인드맵을 작성한다. (중앙에 자신의 학과명을 적는다) – 개별 활동

2 단계	서로의 다름을 통한 이해	소요 시간	30분	준비물	전지, 포스트잇, 색연필
성명		학번		일자	20 . . .
주제	**나의 학과와 전공**				
핵심 키워드					

문제점 도출하기

세 번째 실습은 기존 제품에 대한 문제점이나 개선하기 위한 마인드맵이다. 주제는 "미래의 드론"이다. 미래의 드론을 상상하면서 활용 분야를 중심으로 세부 가지를 작성하고 확장시킨다. – 팀별활동

3 단계	문제점 도출하기		소요 시간	30분	준비물	전지, 포스트잇, 색연필
성명			학번		일자	20 . . .
주제	**미래의 드론**					
	미래의 드론					
핵심 키워드						

활동지 8-4

문제점 개선을 위한 아이디어 선정

[활동 8-3]의 미래 활용 분야를 하나 선택하고 현 기술과 대비한 문제점과 관련된 개선 아이디어를 브레인스토밍한다.

4 단계	문제점 개선을 위한 아이디어 선정	소요 시간	30분	준비물	전지, 포스트잇, 색연필
성명		학번		일자	20 . . .
활동	1. 현 기술과 관련된 부분의 적극적인 논의를 위해 웹 검색을 통해 브레인스토밍을 위한 준비 시간을 갖는다.				

활동 결과	주제		
	특징		
	문제점		
	해결방안		
	최종 아이디어		

CHAPTER 3

수렴적 사고로
생각 정리하기

Design Thinking & Decompose the Problem

SECTION 01

PMI Plus Minus interesting

3장에서는 확산적 사고를 통한 다양한 생각을 표현하고 아이디어를 도출한 결과를 정리하는 수렴적 사고 활동과 관련된 기법을 살펴볼 것이다. 확산적 사고가 다양하게 확장된 사고라면 수렴적 사고는 한 가지로 정리된 사고를 의미한다. 단, 한 번의 수렴적 사고를 통하여 최종적인 문제 해결을 위한 해답을 얻는 것은 아니다. 수렴된 결과는 다시 확산하고 수렴되면서 최적의 솔루션을 찾게 된다.

1 PMI 기법의 이해

제시된 의견에 대해 **장점(Plus)**, **단점(Minus)**, **흥미적(Interest)** 측면을 나누어 평가하는 방법을 의미한다. 에드워드 드 보노(Edward de Bono)는 처음에는 이상하고 엉뚱한 아이디어라도 검토를 반복하다 보면 새로운 아이디어가 도출되고 이를 지속적으로 보완하여 발전시키기 위한 목적으로 사용한다고 하였다. 대표적인 수렴적 사고의 한 방법이다.

- P(Plus)는 장점으로 좋은 점이나 긍정적인 면, 추가적인 요소를 기술한다.
- M(Minus)은 단점으로 나쁜 점이나 부정적인 면, 제외하고자 하는 요소를 기술한다.
- I(Interest)는 흥미로운 점으로 독특하거나 새로운 요소를 기술한다.
- 회의 시간은 가능한 1시간 이내로 진행하는 것이 좋다.

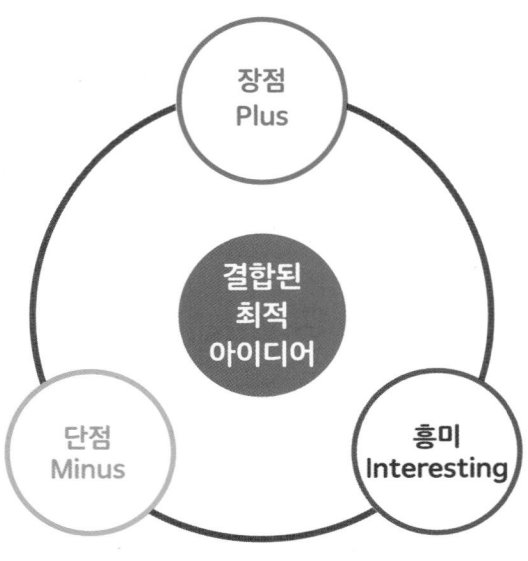

PMI 기법의 3요소

2 PMI 기법 수행 절차

이 기법도 확산적 사고 기법의 대부분과 마찬가지로 팀별로 활동이 이루어져야 한다. 문제 정의와 주제를 설명하고 장점, 단점, 흥미의 3가지 영역에 집중할 수 있도록 한다. 장점을 제시할 때는 단점과 흥미로운 점을 가능한 배제 하도록 한다. 그리고 최종적인 아이디어는 소수나 특정 대상이 아닌 모두의 의견이 반영된 아이디어를 선택하도록 한다.

PMI 기법은 수렴적 사고기법이므로 확산적 사고기법으로 선별된 아이디어들에 대해 집중 적인 논의를 하는 것이 효과적이다. 물론, 새로운 문제에 대해 기법을 적용할 수도 있지만, 이 경우에는 결과론적인 방법 적용("업무에 효율성 측면에서 8시 출근 및 5시 퇴근의 탄력 근무를 시행함에 대한 의견 제시" 등)에 대한 주제를 대상으로 시행하는 것이 기법의 특성 에 맞는다고 볼 수 있다.

1	주제 설명	• 확산적 사고를 통한 선정 아이디어나 결정을 위한 새로운 주제에 대한 충분한 설명이 요구됨
2	장점 찾기	• 단점이나 흥미로운 점은 전혀 고려치 말고 장점과 함께 장점을 극대화할 수 있는 보완점에 대해 의견을 제시
3	단점 찾기	• 주제의 나쁜 점, 단점, 부정적인 측면들에 대한 의견을 제시
4	흥미점 찾기	• 독특하고 새로운 측면을 찾아 의견을 제시
5	아이디어 선택	• 제시된 의견을 토대로 경쟁력이 있는 의견이나 결합을 통한 보완적 방법으로 의견을 선택한다.

PMI 기법의 진행 절차

주제 설명하기

팀의 구성원들이 정확하게 주제를 인식하고 논의 주안점에 집중할 수 있도록 충분한 시간을 가지고 설명한다.

1 단계	주제 설명하기	소요 시간	20분	준비물	전지, 포스트잇, 색연필
성명		학번		일자	20 . . .
주제					
배경					
활동 결과					

요소 집중하기

순서는 장점, 단점, 흥미로운 점 순서대로 진행한다. 한 번에 하나의 요소에만 집중하고 다른 요소는 고려하지 않는다.

2 단계	요소 집중하기	소요 시간	30분	준비물	전지, 포스트잇, 색연필
성명		학번		일자	20 . . .
주제					

활동 결과	Plus 장점	Minus 단점	Interest 흥미로운 점

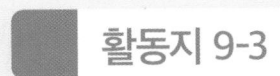

함께 선택하기

아이디어 수집 후에는 팀 리더의 진행 하에 참여자 모두가 함께 최종 아이디어를 선택하고 실행 방안을 결정한다.

3 단계	함께 선택하기	소요 시간	20분	준비물	전지, 포스트잇, 색연필
성명		학번		일자	20 . .
주제					

활동 결과	Plus 장점	Minus 단점	Interest 흥미로운 점
	종합의견		
	최종결정		

ALU Advantage Limitation Unique Qualities

1 ALU 기법의 이해

강점(Advantage), 제한점(Limitation), 특이한 특징(Unique Qualities)의 첫 단어로 만든 기본적인 수렴적 사고 도구이다. 이 기법은 매우 독특한(신기한) 새로운 대안을 찾아내는 데 유용한 특징을 가진다.

또한, 흔하게 무시될 수 있는 아이디어에 대해 독특함이나 참신한 기능성을 찾아내어 무시되지 않도록 하는 구조적인 접근법으로 기존 아이디어를 분석하고 개선하고 발전시키는 것이 목적이다.

- A(Advantage) : 장점이나 이점 및 긍정적인 면을 고려하여 기술한다.
- L(Limitation) : 제한, 문제점, 약점 등 개선이 요구되는 요소를 찾아 기술한다.
- U(Unique Qualities) : 아이디어가 가지는 독특한 특성이나 기능적인 면을 확인하고 기술한다.

특히, ALU 기법이 다른 기법과 차별적인 요소는 "새로운 유용한 결과"를 통한 문제 해결의 가능성이 크다는 것이다. 문제 해결의 실마리는 눈에 보이는 상징적인 장단점보다 드러나지 않는 내적인 특징이나 애초의 기능적 요소는 아님에도 가지는 기능의 활용으로 해답을 찾는 경우가 많다.

"우리가 본 것이 전부는 아니다"라는 생각으로 문제나 아이디어를 바라볼 필요가 있는 이유이다.

ALU 기법의 3요소

2 ALU 기법 수행 절차

진행하는 방식과 절차는 기존의 PMI 기법과 유사하며 각 아이디어를 강점과 제한점, 특이성을 중심으로 논의하고 기술한다. 특히 강점이나 제한점보다 특이성을 집중적으로 논의하는 시간을 가진다. 이를 통하여 예상치 않은 문제 해결의 해답이나 또 다른 확산적 사고를 위한 논의의 범위를 줄여주는 효과를 가질 수 있다.

또한, 각자의 아이디어만 집중하지 말고 다른 사람들의 아이디어에 대한 세 가지 평가 요소를 눈여겨봄으로써 새로운 강점이나 특이성을 찾을 기회를 얻게 된다.

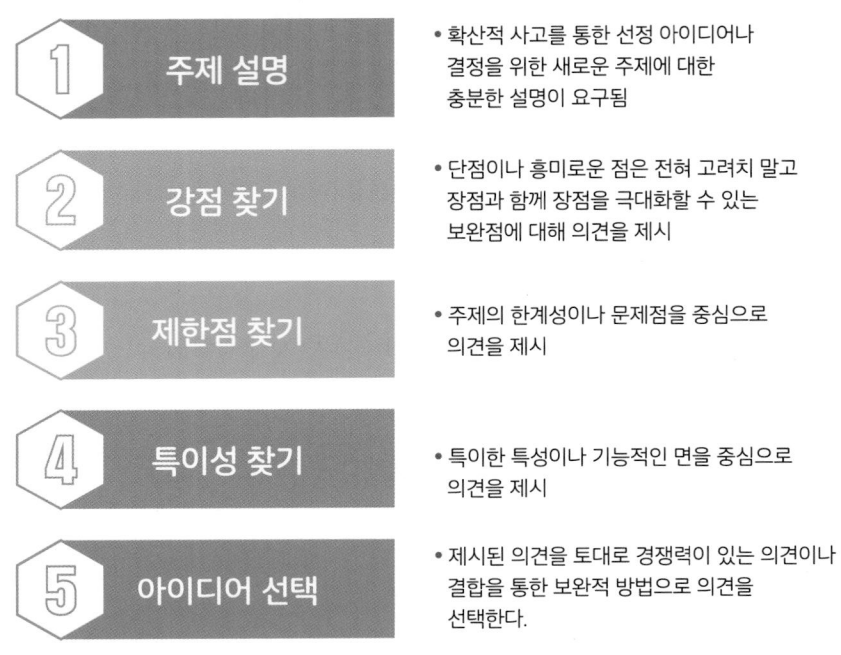

1 주제 설명	• 확산적 사고를 통한 선정 아이디어나 결정을 위한 새로운 주제에 대한 충분한 설명이 요구됨
2 강점 찾기	• 단점이나 흥미로운 점은 전혀 고려치 말고 장점과 함께 장점을 극대화할 수 있는 보완점에 대해 의견을 제시
3 제한점 찾기	• 주제의 한계성이나 문제점을 중심으로 의견을 제시
4 특이성 찾기	• 특이한 특성이나 기능적인 면을 중심으로 의견을 제시
5 아이디어 선택	• 제시된 의견을 토대로 경쟁력이 있는 의견이나 결합을 통한 보완적 방법으로 의견을 선택한다.

ALU 기법의 진행절차

주제 설명하기

팀의 구성원들이 정확하게 주제를 인식하고 논의 주안점에 집중할 수 있도록 충분한 시간을 가지고 설명한다.

1 단계	주제 설명하기	소요 시간	20분	준비물	전지, 포스트잇, 색연필
성명		학번		일자	20 . . .
주제					
배경					
활동 결과					

요소 집중하기

순서는 강점, 제한점, 특이성의 순서로 진행한다. 한 번에 하나의 요소에만 집중하고 다른 요소는 고려하지 않는다. 가능하면 특이성에 대한 논의의 시간을 많이 가진다.

2 단계	요소 집중하기		소요 시간	30분	준비물	전지, 포스트잇, 색연필
성명			학번		일자	20 . .
주제						

활동 결과	구분	아이디어1	아이디어2	아이디어3
	내용			
	강점			
	제한점			
	특이점 (특징/기능)			

 활동지 10-3

함께 선택하기

아이디어 수집 후에는 팀 리더의 진행 하에 참여자 모두가 함께 최종 아이디어를 선택하고 실행 방안을 결정한다.

3 단계	함께 선택하기		소요 시간	20분	준비물	전지, 포스트잇, 색연필
성명			학번		일자	20 . .
주제						

	구분	아이디어1	아이디어2	아이디어3
활동 결과	내용			
	강점			
	제한점			
	특이점 (특징/기능)			
	종합의견			
	최종결정			

SECTION 03 하이라이팅 Highlighting

1 하이라이팅 기법의 이해

수렴적 사고기법은 대부분 아이디어의 심사나 분류 평가 등의 목적으로 이루어진다. 그중에 하이라이팅 기법은 제시된 아이디어들을 대상으로 전체적인 아이디어 수를 축소하는 목적을 갖는다. 아이디어가 유사한 그룹 등으로 축소가 되면 그만큼 선택의 용이성을 확보할 수 있게 된다.

즉, 제시된 아이디어 중 선호도가 높은 아이디어를 부분적으로 선택(Hit)하여 공통적인 영역이나 특성별로 그룹화를 짓는다. 이를 클러스터라고 하는데, 일종의 "적용영역(Hot Spots)"이며 이러한 적용영역을 문제 해결에 적합한 형태로 재구성하는 기법이다.

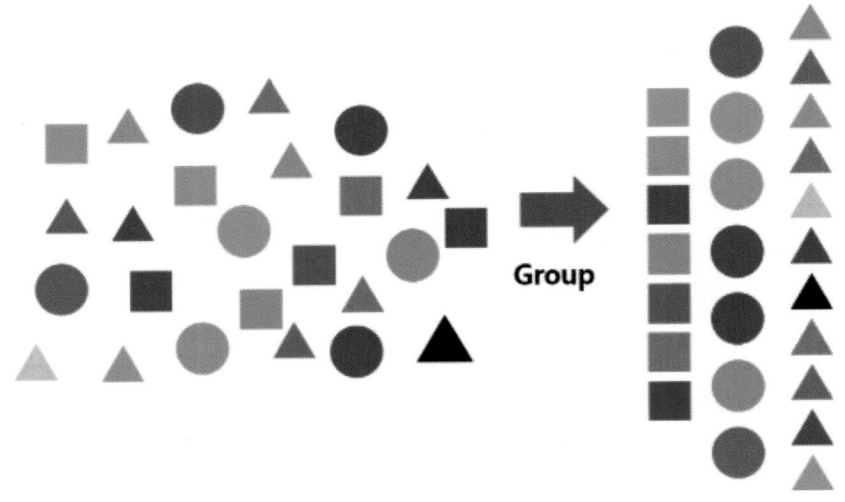

HIT - HOT SPOTS - 재진술

2 하이라이팅 기법 수행 절차

먼저, 브레인스토밍이나 스캠퍼 등의 확산적 사고기법으로 도출된 아이디어들에 식별번호를 부여하고 열거한다. 아이디어별로 실현 가능성은 고려하지 않고 괜찮은 아이디어라고 생각하면 선택한다.

- 아이디어들을 클러스터링하기 위한 **적중 영역**을 만든다. 적중 영역은 일종의 그룹화 항목으로 문제 해결에서 요구되는 중요한 요소들을 고려하면서 별도의 브레인스토밍을 통해 선정한다.
- 적중 영역이 결정되면, 이전 단계에서 선택한 아이디어를 대상으로 적중 영역과 비교하여 적절한 **영역으로 분류**한다.
- 적중 영역을 검토하면서 **의미를 재구성**한다. 그리고 문제에서 요구하는 해결 방안을 가장 잘 충족한다고 판단되는 적중 영역을 선택한다.
- 선택된 적중 영역이 두 개 이상이면 이들을 **조합**하여 하나의 방안을 만들어도 무방하다.

이러한 전체 절차에서 가장 중요한 단계가 적용영역을 결정하는 것이다. 해결하고자 하는 문제 유형에 따라 사회적인 측면, 예술적인 측면 등의 추상적인 영역이 될 수도 있고 기능적인 측면, 비용적인 측면 등의 현실적인 객관화의 영역으로 구분될 수 있다.

적용영역의 결정에 따라 최종적으로 재구성되는 방안의 실효성이 결정될 수 있으므로 충분한 브레인스토밍이 필요한 이유이다.

확산적 사고와 수렴적 사고를 구분하여 기법들을 학습하고 있지만, 방법과 절차의 경계가 명확하지 않다고 생각해야 한다. 확산적 사고기법을 적용하면서 부분적으로 수렴의 절차가 요구되기도 하고 최종적인 수렴 단계에서 다시 확산적 아이디어 도출이 요구될 수 있기 때문이다. 학습은 부분적이지만, 실제 활용은 광의적으로 적용해야 한다.

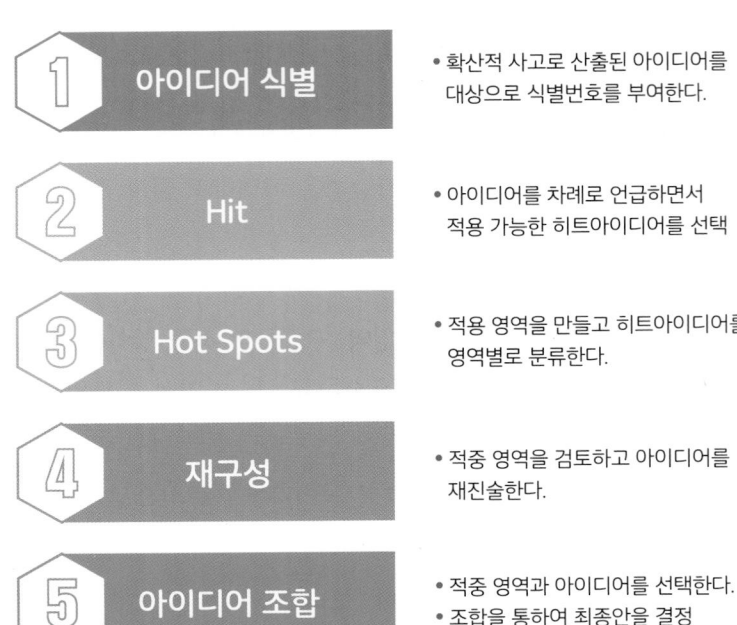

1 아이디어 식별	• 확산적 사고로 산출된 아이디어를 대상으로 식별번호를 부여한다.
2 Hit	• 아이디어를 차례로 언급하면서 적용 가능한 히트아이디어를 선택
3 Hot Spots	• 적용 영역을 만들고 히트아이디어를 영역별로 분류한다.
4 재구성	• 적중 영역을 검토하고 아이디어를 재진술한다.
5 아이디어 조합	• 적중 영역과 아이디어를 선택한다. • 조합을 통하여 최종안을 결정

하이라이팅 기법의 수행 절차

 **활동지 11-1**

아이디어 식별 및 히트 아이디어 선택하기

확산적 사고기법에서 도출한 전체 아이디어에 대해 식별번호를 부여하고 히트 아이디어를 선택한다.

1 단계	히트 아이디어 선택하기		소요 시간	30분	준비물	전지, 포스트잇, 색연필
성명			학번		일자	20 . . .
주제						
활동 결과	식별번호	아이디어				히트여부
	1					
	2					
	3					
	4					
	5					
	6					
	7					
	8					
	9					
	10					
	11					
	12					
	13					
	14					
	15					
	16					
	17					
	18					
	19					
	20					

활동지 11-2

적용영역 결정과 분류

브레인스토밍을 통하여 문제 해결을 위한 적용영역을 결정하고 히트 아이디어를 대상으로 가장 적합한 적용영역으로 분류작업을 한다.

2 단계	적용영역 결정과 분류		소요 시간	30분	준비물	전지, 포스트잇, 색연필
성명			학번		일자	20 . . .
주제						

활동 결과	적용영역					

아이디어 재구성하기

적용영역을 중심으로 히트 아이디어를 재진술한다. 상징적인 적용영역이 두 개 이상이면 조합을 통하여 구성해도 된다.

3 단계	아이디어 재구성하기		소요 시간	30분	준비물	전지, 포스트잇, 색연필
성명			학번		일자	20 . . .
주제						
활동 결과	적용영역					
	히트 아이디어					
	영역별 재진술					
	종합 재진술					

평가 행렬법 Evaluation Matrix

1 평가 행렬법의 이해

제시된 아이디어를 미리 정해 놓은 평가 준거에 따라 체계적으로 평가하기 위한 사고 방법이다. 하이라이팅된 아이디어나 실제 적용을 위한 계획에 따른 아이디어를 평가할 때 주로 활용된다.

선택된 아이디를 대상으로 미리 지정해 둔 평가 준거에 따라 체계적으로 평가하는 방법으로 평가 대상이 되는 아이디어는 매트릭스의 세로축으로 나열하고 정해진 평가 준거는 가로축에 기술하여 2차원 매트릭스를 완성한다. 시간이나 노력이 많이 소요되는 단점은 있지만 아이디어별로 체계적인 평가가 가능한 장점이 있다.

또한, 많은 아이디어를 평가할 때 유용하며 문제 해결을 위한 어떠한 단계에서도 적용 가능한 장점이 있다.

주제 : 대학에서 보다 능률적으로 학습할 수 있는 방법

아이디어	평가 준거				총계
	학습	건강	인성	환경	
1교시를 10시 부터 시작한다.	8	10	9	6	33
전 강의실을 원형 탁자 형식으로 배치한다.	7	8	10	9	34
수준별 분반 수업을 실시한다.	10	7	7	7	31
멘토-멘티를 짝지어 강의를 수강하도록 한다.	9	6	6	8	29
졸업 이수 학점을 축소하여 주당 수업 시수를 줄인다.(10% 이상)	6	9	8	5	28
강의실의 환경 개선(난방/냉방 등)을 실시한다.	5	5	5	10	25

평가 행렬법의 예시

2 평가 행렬법 수행 절차

평가 행렬법의 수행에서 가장 염두하고 충분한 시간 할애를 해야 하는 것이 평가 준거를 결정하는 것이다. 문제의 성격에 따라 다르겠지만 일반적으로 비용, 아이디어의 적용 난이도, 시간적 복잡도, 공간적 복잡도, 필요 자원 및 가용도, 정보 활용도 등으로 설정한다.

아이디어는 좋은데, 평가 준거를 잘못 지정하여 평가의 신뢰성이나 가능성이 저하되는 경우가 많으므로 평가 준거 결정을 위한 별도의 브레인스토밍을 시행하고 위에서 언급한 하이라이팅 기법을 적용하여 평가 준거를 도출하는 방법을 권장한다.

그리고 평가 준거의 표현방식은 단순한 키워드를 통한 추상적 표현보다 "~할 수 있는가?", "~하기에 자원은 충분한가?", "경쟁사의 제품에 비해 가치성이 높은가?" 등의 질문형이나 의문문 형태로 기술하면 평가가 효과적으로 이루어진다.

각 평가 준거를 평가하는 척도는 5점 리커트 척도(Likert scale)가 가장 일반적이지만 평가 준거에 따른 차별적 척도를 적용해도 무방하다. 하지만 평가척도로 인한 편차가 커지면 곤란하기 때문에 최저 및 최곳값은 동일하게 적용하는 것이 좋다.

■ 요구되는 비용은 수용 가능한가?

위 준거의 경우 상황에 따라, 부정적 1점, 보통 2점, 긍정적 3점의 3단계 척도를 사용해도 무방하겠지만, 다른 준거가 10점 척도를 사용하고 있다면 각 단계를 조정하여 부정적 2점, 보통 6점, 긍정적 10점으로 평정하면 준거별 편차로 인한 신뢰도 저하를 예방할 수 있다.

물론, 전체 평가 준거를 동일한 척도로 사용하면 되겠지만, 준거에 따른 척도의 범위 값이 너무 크거나 작으면 평가자의 선택에 대하여 "이건 그냥 중간 정도로….."라는 모호성을 초래할 수 있다.

평가에 따른 결과를 분석할 때는 평가 총점에 집착하지 말아야 한다. 총점 값이 크다는 것은 평가 준거 차원에서는 긍정적이라는 의미이다. 총점이 낮다고 해서 의미 없는 아이디어는 아니고 단지 평가 준거 측면에서 약하다는 의미로 분석해야 한다.

점수가 낮은 아이디어는 보완적인 방법을 모색하여 더 좋은 아이디어가 될 가능성을 열어두어야 한다. 평가 행렬표의 결과는 최종 아이디어를 수렴하는 중간 단계이기 때문이다.

1	평가 준거 결정	• 제시된 아이디어를 고려하여 평가 준거를 결정 • 브레인스토밍 및 하이라이팅기법을 활용
2	평가 행렬표 작성	• 세로에 아이디어를 가로에 평가 준거를 기술한다.

3	평정척도 정하기	• 아이디어를 평가할 척도를 각 평가 준거를
		  고려하여 결정한다.
		  (5점 척도, 3단계 척도, 10점 가중치 척도 등)

4	평가하기	• 좋은 아이디어일수록 큰 점수를 부여한다. • 하나의 준거에 따라 모든 아이디어를 평가하고 다음 준거에 대한 평가를 한다.
5	결과 분석	• 준거의 합계 점수만으로 아이디어를 평가해서는 안 된다. • 보완적 아이디어 도출에 집중한다.

평가 행렬법의 수행 절차

활동지 12-1

평가 준거 결정하기

제시된 아이디어를 대상으로 적용 가능한 평가 준거에 대한 브레인스토밍을 시행하고 최종 준거와 평정
척도를 결정한다.

1 단계	평가 준거 결정하기	소요 시간	30분	준비물	전지, 포스트잇, 색연필
성명		학번		일자	20 . . .
주제					
활동 결과					
	최종 평가 준거				

활동지 12-2

평가 행렬표 작성 및 평가

결정된 평가 준거를 가로에 평가 아이디어를 세로에 기술하고 평가한다.

2 단계	평가 행렬표 작성 및 평가	소요 시간	30분	준비물	전지, 포스트잇, 색연필
성명		학번		일자	20 . . .
주제					

활동 결과	아이디어	평가 준거				총점

 활동지 12-3

결과 분석하기

아이디어별 평가 준거의 총점을 중심으로 강점과 약점을 분석하고 상대적인 아이디어의 장점을 조합하여 보완적인 아이디어에 집중한다,

3 단계	결과 분석하기		소요 시간	30분	준비물	전지, 포스트잇, 색연필
성명			학번		일자	20 . . .
주제						
활동 결과	아이디어		준거별 특징 분석			
	결과 분석					

SECTION 05 쌍비교 분석법PCA

1 쌍비교 분석법의 이해

쌍비교 분석법(PCA : Paired Comparison Analysis)은 확산적 사고로 산출된 아이디어나 문제 해결을 위한 다양한 조건이나 기준들을 한 쌍의 그룹 단위로 비교 및 평가한 후, 긍정적인 순서로 우선순위를 결정하는 기법이다.

이 기법은 팀 단위의 합의를 도출하기 위한 목적 외에도 개인적인 결정의 목적으로도 사용할 수 있다. 일반적으로 다양한 상황이나 선택을 위한 우선순위를 결정하기 위해 활용된다.

하지만, 시간과 노력이 많이 소요되는 단점을 가진다. 유의할 점은 비교하려는 대안들은 되도록 같은 형태로 진술하는 것이 좋으며 매트릭스에 제외된 유망한 대안이 있을 수 있음을 고려해야 한다. 즉, 적용하는 평가 준거를 달라지면 결과도 달라진다는 것이다.

평가준거 1 : 창의성의 관점

아이디어	A	B	C	D	E	F	총계
A		A1	A2	A1	E1	F1	**A=4**
B			C2	B1	E2	F1	**B=1**
C				C2	E2	E1	**C=4**
D					E1	F1	**D=0**
E						F1	**E=7**
F							**F=4**

[척도]
1. 약간 좋음
2. 상당히 좋음
3. 매우 좋음

결과 : 창의성 관점에서는 E 아이디어가 가장 좋은 것으로 평가됨

쌍비교 분석법의 예시

2 쌍비교 분석법 수행 절차

먼저, 매트릭스의 행과 열에 아이디어를 나열한다. 하나의 아이디어에 대해 모든 아이디어를 차례로 비교 평가하여 우위에 있는 아이디어에 평가척도 값을 기술한다.

3점 척도를 이용하여 평가하며 모든 쌍의 비교가 종료되면 아이디어별로 총계를 계산한다. 총점의 우선순위가 해당하는 평가 준거의 중요도가 된다.

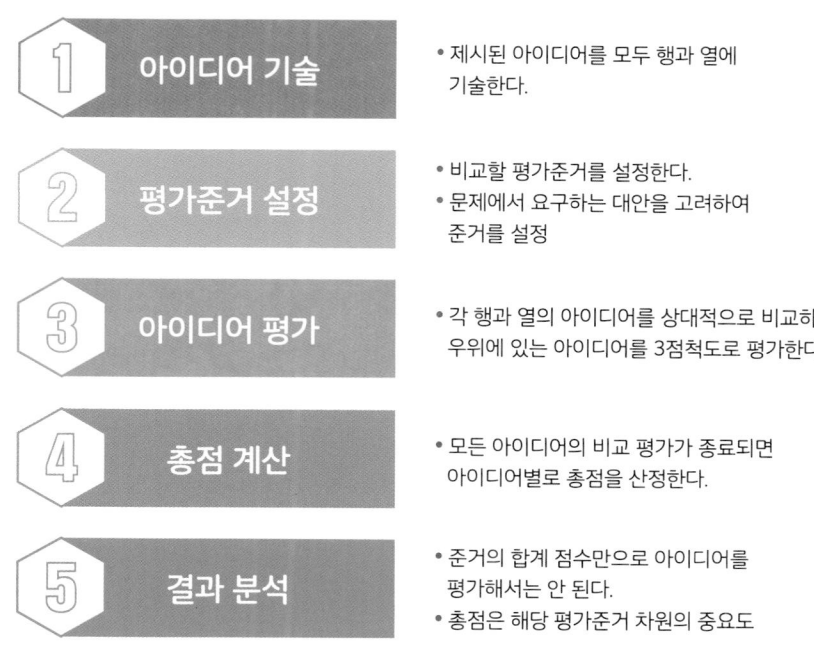

쌍비교 분석법의 진행 절차

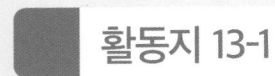

아이디어 기술 및 평가 준거 결정하기

제시된 아이디어와 근원적인 문제 해결의 방안을 고려하여 평가하고자 하는 준거를 설정한다. (3~5개)

1 단계	평가 준거 결정하기	소요 시간	30분	준비물	전지, 포스트잇, 색연필
성명		학번		일자	20 . .
주제					
활동 결과					
	최종 평가 준거				

 활동지 13-2

아이디어 평가 1

결정된 평가 준거를 근거로 가로와 세로에 해당하는 아이디어를 비교 우위를 평가한다. (평가는 3점 척도로 실시)

2 단계	아이디어 평가하기			소요 시간	30분	준비물	전지, 포스트잇, 색연필	
성명				학번		일자	20 . . .	
주제								

활동 결과

평가 준거 : 예시) 차별성

아이디어	A	B	C	D	E	F	총점
A							
B							
C							
D							
E							
F							
결과 분석							

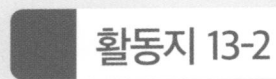

아이디어 평가 2

결정된 평가 준거를 근거로 가로와 세로에 해당하는 아이디어를 비교 우위를 평가한다. (평가는 3점 척도로 실시)

2 단계	아이디어 평가하기		소요 시간	30분	준비물	전지, 포스트잇, 색연필
성명			학번		일자	20 . . .
주제						

<table>
<tr><td rowspan="9">활동
결과</td><td colspan="8">평가 준거 : 예시) 실용성</td></tr>
<tr><td>아이디어</td><td>A</td><td>B</td><td>C</td><td>D</td><td>E</td><td>F</td><td>총점</td></tr>
<tr><td>A</td><td></td><td></td><td></td><td></td><td></td><td></td><td></td></tr>
<tr><td>B</td><td></td><td></td><td></td><td></td><td></td><td></td><td></td></tr>
<tr><td>C</td><td></td><td></td><td></td><td></td><td></td><td></td><td></td></tr>
<tr><td>D</td><td></td><td></td><td></td><td></td><td></td><td></td><td></td></tr>
<tr><td>E</td><td></td><td></td><td></td><td></td><td></td><td></td><td></td></tr>
<tr><td>F</td><td></td><td></td><td></td><td></td><td></td><td></td><td></td></tr>
<tr><td>결과 분석</td><td></td><td></td><td></td><td></td><td></td><td></td><td></td></tr>
</table>

활동지 13-2

아이디어 평가 3

결정된 평가 준거를 근거로 가로와 세로에 해당하는 아이디어를 비교 우위를 평가한다. (평가는 3점 척도로 실시)

2 단계	아이디어 평가하기			소요 시간		30분	준비물	전지, 포스트잇, 색연필		
성명				학번			일자	20 . . .		
주제										
활동 결과	평가 준거 : 예시) 가용성									
	아이디어	A	B	C	D	E	F	총점		
	A									
	B									
	C									
	D									
	E									
	F									
	결과 분석									

활동지 13-3

결과 분석하기

각 아이디어와 평가 준거별 점수 현황표를 작성하고 최종 결과에 대한 분석내용을 기술한다.

3 단계	결과 분석하기			소요 시간	30분	준비물	전지, 포스트잇, 색연필		
성명				학번		일자	20 . . .		
주제									
활동 결과	주제 :								
	아이디어	A	B	C	D	E	F	총점
	A							
	B							
	C							
	D							
	E							
	F							
	결과 분석							

SECTION 06 스크리닝 매트릭스 Screening Matrix

1 스크리닝 매트릭스 기법의 이해

스크리닝 매트릭스 기법은 많은 아이디어를 대상으로 질적인 부분에 따라 분류작업을 시행하고 우선순위를 정하여 선택하는 방법으로 체계적인 수렴적 사고기법이다.

일반적으로 두 가지 평가 준거를 정하고 각 준거의 평가척도를 3단계(상, 중, 하) 척도로 루브릭을 작성하여 평가한다.

주제 : 항공기 이용 승객을 확대하기 위한 방안

		[평가준거 1] 아이디어의 차별성		
		상	중	하
[평가준거 2] 아이디어의 실용성	상	A	B	C
	중	B	C	D
	하	C	D	E

- A등급 : Best
- B등급 : Second
- C등급 : Doubtful
- D등급 : Poor
- E등급 : Worst

스크리닝 매트릭스를 위한 루브릭 예시

위 루브릭에서 A 영역은 가장 우선순위가 높은 아이디어에 해당한다. 각 아이디어를 두 개의 평가 준거를 기준으로 평가하면 각 영역에 아이디어들이 군집될 것이다. 즉, A 영역에 있는 아이디어들은 Best Idea가 되고 E 영역에 있는 아이디어들은 Worst Idea라는 의미가 있다.

2 스크리닝 매트릭스 기법의 수행 절차

평가 준거에 따라 아이디어의 등급이 구분될 수 있으므로 문제 해결의 핵심적 평가 준거를 설정하는 것이 가장 중요하다. 평가 준거 설정을 위한 별도의 브레인스토밍이 필요할 수도 있다.

각 아이디어를 A등급부터 E등급까지 5단계로 그룹화됨으로 각 그룹의 아이디어의 공통된 특징을 살펴보고 최종적인 아이디어를 선정하는 것도 좋은 방법이다.

평가 준거를 변경하여 등급을 구분하고 특징을 분석하여 기존 결과와 조합하는 것도 바람직하다.

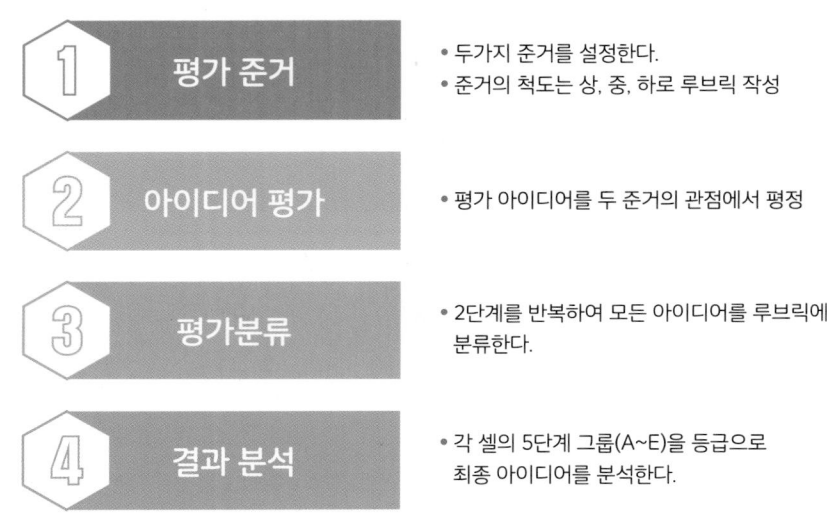

스크리닝 매트릭스 기법의 진행 절차

평가 준거 결정하기

제시된 아이디어와 근원적인 문제 해결의 방안을 고려하여 평가하고자 하는 준거를 두 가지 설정한다.

1 단계	평가 준거 결정하기	소요 시간	30분	준비물	전지, 포스트잇, 색연필
성명		학번		일자	20 . . .
주제					
활동 결과					
	최종 평가 준거				

아이디어 평가

결정된 평가 준거를 근거로 가로와 세로에 해당하는 아이디어의 비교 우위를 평가한다. (평가는 3점 척도로 실시)

2 단계	아이디어 평가하기		소요 시간	30분	준비물	전지, 포스트잇, 색연필
성명			학번		일자	20 . . .
주제						

활동 결과			[평가 준거1]		
			상	중	하
	[평가 준거2]	성	A	B	C
		중	B	C	D
		하	C	D	E

활동지 14-3

평가 분류 및 결과 분석하기

5단계로 분류된 아이디어를 그룹별 특성을 분석하고 최종 아이디어를 결정한다.

2 단계	평가 분류 및 결과 분석하기		소요 시간	20분	준비물	전지, 포스트잇, 색연필
성명			학번		일자	20 . . .
주제						

활동 결과			[평가 준거1]		
			상	중	하
	[평가 준거2]	성	A	B	C
		중	B	C	D
		하	C	D	E
	결과 분석				

CHAPTER 4

디자인씽킹으로
생각 확장하기

Design Thinking & Decompose the Problem

디자인씽킹 시작하기

4장에서는 2장과 3장에서 익힌 확산적 사고와 수렴적 사고기법을 바탕으로 실질적인 문제 해결을 위한 전 과정을 디자인씽킹이라는 방법론을 통하여 활용하게 될 것이다. 생각을 표현하고 정리하는 절차를 통해 실질적인 문제 해결을 위해 구조화하고 보다 나은 방안을 모색하기 위한 생각의 확장단계로 이어진다. 디자인 씽킹은 이러한 기본적 사고기법들을 통합하는 방법론으로 보다 실질적인 문제 해결에 도움이 될 것이다.

1 디자인씽킹 시작하기

1장에서 언급한 디자인씽킹의 기본절차는 아래와 같다. 하지만 문제 해결을 위한 절차나 단계가 그림처럼 명확하게 구분되지는 않는다. 우리는 문제 해결 관점에서 본 절차를 실질적인 적용 절차로 변경하여 사용할 것이다.

일반적인 디자인씽킹의 절차

공감하기는 주제에 대한 팀원들의 공감대와 문제 파악을 진행하는 절차나 계획을 명시하는 단계이다.

문제 해결을 위한 실제적 절차

문제의 정의는 사용자의 요구사항을 정확히 파악하기 위한 방향성을 정의하는 단계로 다양한 자료수집을 통하여 이행된다. 또한, 이 단계에서는 수집 자료와 문제 속에 숨어있는 진짜 문제를 찾아내어야 한다. 수집 자료에 대한 분석은 사용자의 요구를 정확히 파악하고 온전히 문제에 집중하는 단계이며 다음 단계인 아이디어 생성 단계에서의 오류나 시간적 낭비를 최소화할 수 있는 탐색의 단계이다.

이렇게 정리된 문제의 근원적인 요소를 바탕으로 확산적 사고와 수렴적 사고의 지속적인 반복을 통하여 최선의 대안을 찾아내는 단계가 아이디어 생성 단계이다.

마지막 단계는 선택된 아이디어에 집중하면서 실제 적용 가능성을 가늠하고 최소한의 기능을 중심으로 가상의 모형을 제작하는 프로토타입 단계이다. 이러한 시제품을 통하여 애초의 요구사항에 만족하는지, 사용자의 사용 경험 등을 인터뷰하고 피드백을 정리하는 단계를 포괄한다.

앞서 본 교과에 임하는 자세에 대한 언급이 있었지만, 본 장에서 다시 한번 문제에 직면하여 해결책을 모색하는 여러분의 마인드셋을 다음과 같이 요구한다.

1. 모든 의견은 나의 의견보다 소중하다.

   사소한 의견이 모이고 조합되어 큰 의견을 만들어 낸다. 또한 모든 구성원이 마음껏 이야기할 수 있게 서로가 마음의 문을 활짝 열어야 한다.

2. 실패와 성공은 같은 방향이다.

   실패라는 단어는 "새로운 도전"의 다른 표현일 뿐이다. 실패를 도전으로 생각하면 끊임없이 반복하겠다는 마음가짐이 중요하다.

3. 상황의 문제보다 해결을 위한 행동에 집중하다.

   "우리 팀원은 참여가 빈약해!"가 아닌 "우리 팀원 참여를 높이기 위해서는 내가 뭘 해야 할까?"라는 행위적 기반으로 고민하고 실천해야 한다.

4. 내 생각이 아닌, 남의 생각을 읽어라.

자신의 생각에만 집중하면 가장 익숙한 패턴으로 빠져든다. 자유롭게 생각하기 위한 첫 번째 단추가 남의 생각에 집중하는 것이다.

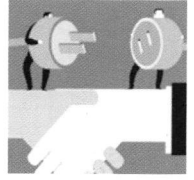

5. 협력과 공유는 선택이 아닌, 필수이다.

서로 다른 사람들과 협력하고 공유하기 위해서는 의도된 즐거움을 가져야 한다. "우리"라는 공동체 의식이 생길 때쯤 사고의 즐거움이 찾아온다.

문제 해결의 전반적인 절차를 명세하기 때문에 2장과 3장에 언급한 내용이 반복으로 등장할 수도 있다. 구슬을 꿰어 모양을 갖춘 온전한 결과물을 만들기 위한 시간이라 생각하기 바란다.

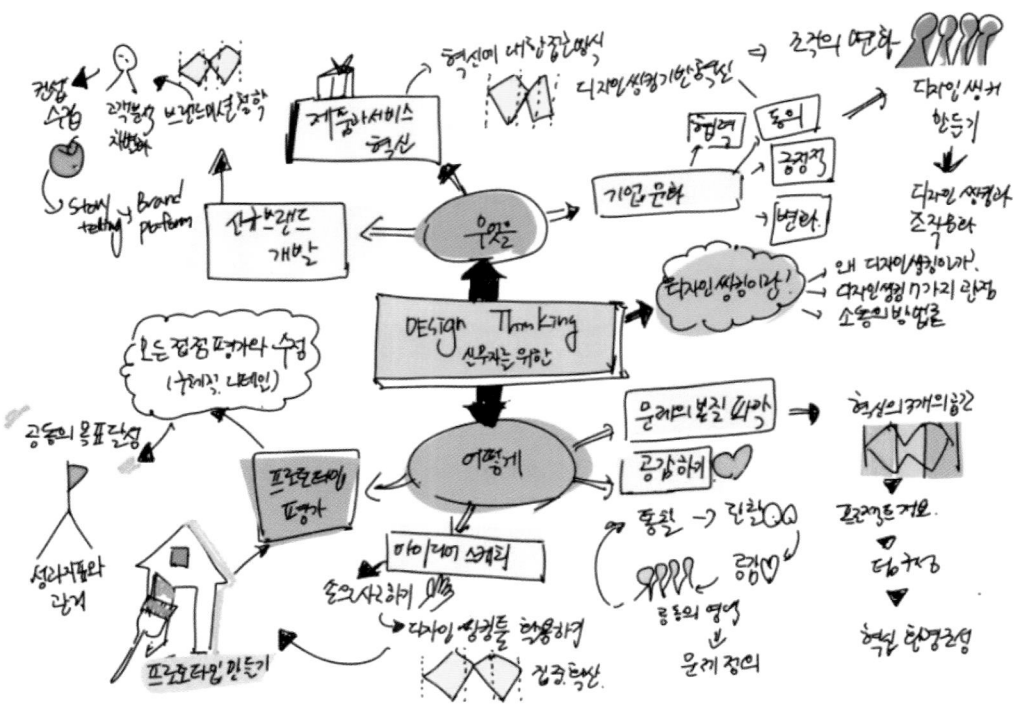

출처 : http://bwithmag.com/archives/3361

주제 선정 및 계획 세우기

팀 프로젝트의 가장 힘든 부분은 생각이나 패턴이 서로 다른 여러 사람이 같은 과제를 두고 투여하는 에너지의 차이가 존재하는 것이다. 생각과 표현의 나눔은 옳고 그름의 기준이 아니고 다름을 인정하고 서로를 배려하는 마음가짐에서 출발한다. 이를 위해 프로젝트를 시작하기 전에 서로를 이해하고 인정하는 과정이 반드시 필요하다.

본 "주제 선정 및 계획 세우기" 단계는 세 가지 세부 단계로 구분하여 진행한다. 팀을 구성하기 위한 활동과 규칙을 정하고 해결하고자 하는 문제에 대한 주제를 논의하고 관련 주제에 대한 지식을 공유한다.

그리고 활동 방향성이나 계획에 대해 논의하고 해당 주제와 방향성에 대한 멘토링을 실시한다. 일반적으로 교과 담당 교수자가 멘토가 되겠지만, 때에 따라 산업체 전문가나 타 학과 교수자도 멘토가 될 수 있다.

멘토링이 중요한 이유는 "속도보다 방향이 중요"하기 때문이다. 자칫, 전문가 의견의 경청이 사고의 울타리가 될 수 있는 점은 주의해야 한다.

1단계 : 주제 선정 및 계획 세우기		
팀 빌딩	**주제 논의**	**계획하기**
• 아이스 브레킹 • 팀명과 역할정하기 • 세부 규칙 정하기	• 주제 탐색 • 주제 선정 • 정보 공유	• 탐구 방향 • 타임라인 • 멘토링

주제 선정 및 계획 세우기 세부 단계

1단계 - 1 팀 빌딩

(1) 아이스브레킹(Icebreaking)

활동시간	30분 내외
준비물	종이, 메모지(포스트잇), 색연필, 테이프

팀 프로젝트 성공의 열쇠는 이 단계에서 좌우된다. 팀원들의 어수선하고 어색한 분위기를 깨고 본격적인 주제 및 활동 전에 팀원들 간에 관계 개선과 포용감을 가지기 위한 활동이다.

상대방의 말을 들을 준비가 되었다는 것은 "상대방을 받아들일 수 있다"는 작은 확신이 있어야 한다. "받아들인다"는 것은 판단이나 결정의 문제가 아니다. 한배를 탄 운명 공동체로서의 이해가 우선되어야 한다.

> "교수님, 팀원 좀 바꿔 주세요. 애들이 아무것도 안 해요"

팀 프로젝트 중에 가장 많이 듣고 요구받는 질문이다. 팀 프로젝트와 본 교과의 활동은 문제 해결을 위한 최선을 방안을 찾아내는 것에 국한되지 않는다. 이 활동을 통하여 협업할 수 있는 공동체 의식이나 대인관계, 의사소통 등의 다양한 역량을 함양하기 위한 목적이 우선한다.

미국의 심장 전문의 로버트 엘리엇(Robert S. Eliet)은 저서에서 **"피할 수 없으면 즐겨라!"** 라는 명언을 남겼다. 팀 프로젝트는 피할 수 없는 여러분의 과제이다. 긍정적인 생각으로 고통을 이겨내어야 한다. 순탄한 팀원들이 이룬 성과보다 고통과 인내, 배려와 협력으로 이룬 결과가 향후 자신의 발전적 경험으로 자리할 수 있을 것이다.

아이스브레킹을 통하여 서로의 긍정적 관계성을 형성해야만 성공적인 프로젝트를 진행할 수 있다. 아이스브레이킹은 팀 단위로 이루어지는 것이 일반적이지만 30명 내외의 수업 단위라면 모든 학생이 같이 참여하는 통합적 방법으로 이루어져도 문제없다.

① 팀원의 별칭 정하기 : 자신을 제외한 팀원들과 닮은 연예인을 찾는다. 최근 인기 있는 연예인 외에도 가수나 외국 배우 등도 관계없다. 간혹, 교수자를 닮은 팀원이 있으면 금상첨화.

② 큰 도화지에 해당 연예인 사진을 붙인다. (그려도 관계없다) 그리고 각 3장의 메모지에 자신의 관심사나 희망 진로, 좋아하는 것, 싫어하는 것 등을 적어 사진 밑에 붙인다.

③ 각 2장의 메모지를 추가로 배부하여 다른 팀원에게 궁금한 질문을 붙인다.

④ 각 팀원이 돌아가면서 메모지에 있는 내용에 대해 발표한다.

이 외에도 팀마다 다양한 아이스브레이킹 소재를 자유롭게 사용하여 진행한다. 방법이 중요한 것이 아니고 참여하는 마음가짐이 중요한 활동이다.[6]

아이스브레이킹 활동 예시

---

6 아이스브레이킹으로 30분 동안 온라인 게임을 하겠다는 팀도 있었다. 교수자는 흔쾌히 허락하였다. 이 팀의 분위기가 활동 내 가장 좋았던 기억이 있다.

아이스브레이킹		소요 시간	20분	준비물	전지, 포스트잇, 색연필
성명		학번		일자	20 . . .
활동 결과					

(2) 팀명과 역할 정하기

활동시간	20분 내외
준비물	종이, 메모지(포스트잇), 색연필, 테이프

아이스브레이킹을 통하여 얻은 팀원들의 정보를 이용하여 각자가 담당할 역할에 대해 논의를 한다. 먼저, 스스로 하고자 하는 팀원을 정하고 그 외는 다수의 추천을 통하여 역할을 분담한다. 역할 분담의 목적은 팀원으로서의 책임감과 참여도를 상승시키기 위한 용도이므로 팀원들의 능력치를 예상하거나 예측하는 것은 가능한 배제 한다. 팀명은 팀의 상징성이 잘 표출되게끔 팀원들의 공통된 개성이나 바라는 목적을 부각하면 좋을 것이다. 또한, 팀명 선정을 이유도 간단하게 정리하여 둔다.

프로젝트의 몰입을 저해하는 원인 중 "팀원들의 소통 부재", "역할 분담과 책임이 모호함"이 대표적인 요인이다. 팀 프로젝트의 주제나 인원수에 따라 차이는 있지만, 일반적 역할 분담을 위한 구분은 다음과 같다.

① 팀장 : 팀장의 역할은 팀원의 역량을 끌어내는 소통자 역할과 팀원들 간의 이해관계를 조화시키는 조율자 역할이 핵심이다. 간혹, 리더십이 팀장의 가장 큰 덕목이라 하는데, 여러분은 역량이 구분되어 있지 않은 "과정"을 위한 팀이라는 점을 염두하여 결정한다. 그리고 다수의 프로젝트가 진행된다면, 가능한 팀장의 역할은 고르게 지정하는 것도 좋은 방법이다. 프로젝트는 실패해도 된다. 그것도 학습활동이다. 물론, 학점은 잘 받지 못하겠지만, "내가 팀장이 되어 소통자와 조율자의 역할을 한번 해 보겠다."

② 기록자 : 기록은 팀의 히스토리이다. 최종적인 성과물에 대한 포트폴리오 작성의 소스가 되는 자료를 산출하는 중요한 역할이다. 단순한 메모가 아닌, 회의록 및 단계별 산출물은 반드시 기록자에 의해 만들어진다.

③ 시간관리자 : 일반적으로 팀장이 겸하는 경우가 많지만, 전체적인 스케줄링의 진행과 확인 작업을 통한 일정을 관리하는 역할을 담당한다. 특정 문제나 논의에 몰입하다 보면, 다음 단계의 활동이 시간적 부족으로 부실해지는 경향이 많다. 단계별 시간 배분이나, 발언에 대한 시간을 관리하는 것이 주요 역할이다.

④ 자원관리자 : 물적 자원에 대한 관리를 담당하는 역할을 한다. 프로젝트에 필요한 준비물이나 시제품 제작에 필요한 물품 구매 등의 관리를 담당한다. 자원 공급을 위한 분배 및 회수의 역할도 자원관리자의 주요 직무이다. "색연필은 박명철 학생, 종이는 최덕규 학생이 준비해 오시면 됩니다."

⑤ 스파이 : 역할 분담자 외의 모든 팀원은 스파이 역할을 담당한다. 스파이의 활동 시간은 팀 프로젝트를 진행하는 시간 외의 모든 시간을 의미한다. 다른 팀의 아이디어를 훔치는 것을 통하여 우리 팀의 진행이 바른 방향성으로 가고 있는지 점검하고 확인하는 소스를 제공하는 역할이다. 기록자는 훔친 자원의 출처가 어떤 팀인지를 기록하고 차후, 결과 발표 시 반드시 해당 팀의 아이디어에서 발전되었음을 명시해야 한다.

본 교과의 팀 프로젝트는 한 팀의 활동 범위로 국한하지 않았으면 한다. 모든 팀의 활동 주제가 우리의 주제이고 우리의 가치이다. 다음 시간에는 다른 팀원이 우리 팀의 스파이나 팀장이 될 수 있다.

팀 프로젝트 활동 매개체 - 스파이

팀명과 역할 정하기	소요 시간	20분	준비물	전지, 포스트잇, 색연필
팀명		**팀장**	**일자**	20 . . .

활동 결과	[역할 정하기]	
	역할	**팀원명**
	팀장	
	기록자	
	시간관리자	
	자원관리자	
	스파이	
	[팀명 설명]	

(3) 세부 규칙 정하기

활동시간	20분 내외
준비물	종이, 메모지(포스트잇), 색연필, 테이프

프로젝트를 진행하면서 기본적으로 지켜야 할 규칙을 그라운드 룰(Ground Rule)이라고 한다. 행동의 제약 등을 위한 규칙이 아니고 앞서 설명한 바와 같이 자유로운 의견수렴을 통하여 더 창의적인 아이디어를 산출하기 위한 **"배려적 규칙"**이라고 생각하면 된다.

간단한 브레인스토밍을 통하여 팀원들이 다양하고 기발한 아이디어를 도출하기 위해서 어떤 규칙이 필요한지 생각하고 발표해 보자. 7~10개 정도의 규칙을 정리하여 우리 팀만의 **룰 페이퍼**를 작성해보자.

룰 페이퍼는 항상 가까운 장소에 부착해 두고 상기시켜야 한다. 이를 통하여 더 활발한 의사 교환 활동이 독려될 수 있을 것이다.

1	•제시된 의견의 평가는 나중에
2	•상대방의 의견에 집중하고 경청하기
3	•한번에 한사람의 의견듣기
4	•시간관리자의 일정표에 따르기
5	•스마트폰 활용 시간 정하기
6	•브레인스토밍 시에 한가지 이상 의견 내기
7	•스파이는 활동보고서 제출하기
8	•자원관리자 요구사항 수용하기
9	•판단 보류에 대한 최종 결정은 팀장에게 일임하기

세부 규칙 예시(룰 페이퍼)

세부 규칙 정하기	소요 시간	20분	준비물	전지, 포스트잇, 색연필
팀명		팀장	일자	20 . . .

활동 결과	[룰 페이퍼]	
	순번	규칙
	1	
	2	
	3	
	4	
	5	
	6	
	7	
	8	
	9	
	10	

[1] 주제 탐색

활동시간	30분 내외
준비물	종이, 메모지(포스트잇), 색연필, 테이프

이미 대의적인 주제가 정해져 있다면 문제가 없겠지만, 영역만 제시된 상태에서 팀별로 주제를 정해야 할 때는 주제 선정을 위한 탐색 활동이 이루어져야 한다.

주제 탐색 활동은 2단계 구분하여 진행하면 효과적이다. 1단계에서는 광의적 주제를 논의한다. 여기서부터 본격적인 브레인스토밍이 시작되게 된다. 광의적 주제는 특정 팀원의 관심사나 전문지식보다 전문지식은 빈약해도 공동의 관심사를 선정하는 것이 활동의 참여적인 측면에서 효과적이다. 2장의 확산적 사고에서 학습한 기법의 하나를 선택하여 의견을 모은다.

광의적 주제는 2단계의 협의적 주제를 정하기 위한 중간 활동이므로 별도의 수렴적 사고기법의 적용 없이 중요도 및 관심도 측면에서 결정하면 된다.

2단계 탐색 활동에서는 광의적 주제에 대한 집중 주제를 도출하는 활동을 진행한다. 누구나 생각하는 상징성 있는 중요 키워드도 좋지만, 예상치 못할 것 같은 키워드나 관심도 밖의 협의적 주제에 대한 논의가 더 활발하게 진행되어야 한다.

"작은 아이디어를 이용한 큰 대안"

"당연함에 대한 의문에서 발전적 대안"

"예상치 못한 아이디어에서 역발상적 대안"

주제 탐색		소요 시간	20분	준비물	전지, 포스트잇, 색연필
팀명		팀장		일자	20 . . .

활동 결과	[광의적 주제]	
	내용	제안자
	[협의적 주제]	
	내용	제안자

(2) 주제 선정

활동시간	30분 내외
준비물	종이, 메모지(포스트잇), 색연필, 테이프

다양한 2단계 협의적 주제에 대해 3장에서 학습한 수렴적 사고기법을 통하여 최종 주제를 선정한다. 평가 행렬법이나 쌍비교 분석법 등을 적용할 수 있을 것이다. 그리고 최종 아이디어를 선정할 때, 선정 주제가 너무 협의적이면 다양한 아이디어를 이끌어 내는 데 어려움이 있고, 너무 광의적이면 구체성이 빈약한 아이디어를 산출된 위험이 있음을 참고하여야 한다.

약식으로 주제를 선정하는 절차 중에 SWOT 기법을 적용할 수도 있다. 제시된 다양한 주제에 대해 판단 기준을 강점, 약점, 기회, 위기의 네 가지 기준으로 각 주제에 대해 논의의 결과에 대한 효과성을 예상해 보는 것이다. 또한, 아래 그림의 네 가지 기준을 다른 판단 기준으로 변경하여 시행해도 좋은 결과를 얻을 수 있다.

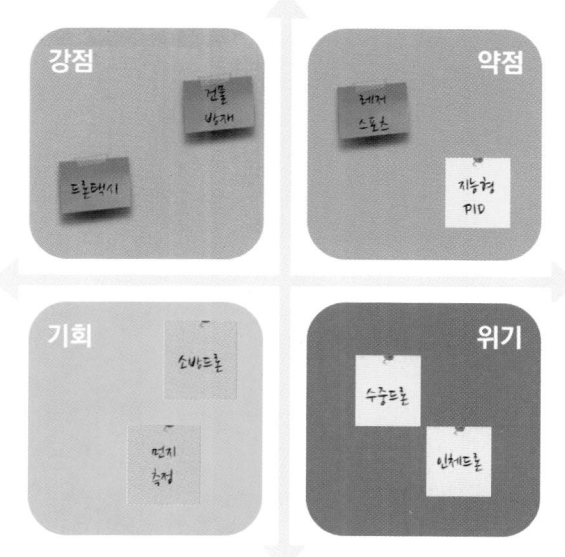

최종 주제 선정을 위한 예시(SWOT)

주제 선정		소요 시간	30분	준비물	전지, 포스트잇, 색연필
팀명		팀장		일자	20 . . .
주제					

활동 결과	

강점

약점

기회

위기

결과 논의	

(3) 정보 공유

활동시간	40분 내외
준비물	종이, 메모지(포스트잇), 색연필, 테이프

최종적인 주제가 선정되었다. 팀원이 함께 선정하였지만, 아직 주제에 대한 지식이 풍부하지 않은 상태이므로 다음 단계로 넘어가도 의견과 사고에 대한 구체성이 빈약하여 프로젝트를 성공적으로 완료하기에는 어려움이 있을 것이다.

본 활동에서는 선지식의 수준에 따라 팀별로 충분한 활동 시간이 요구된다. 먼저, 기존에 알고 있는 지식을 공유한다. 제시된 공유 지식을 기록지 및 활동지에 상세히 적고 다양한 질문과 답변 등으로 공유 지식을 강화하는 활동을 수행한다.

충분한 공유 활동을 하게 되면, 공유된 정보나 지식 외에 얻고자 희망하는 정보가 자연스럽게 생길 것이다. 이러한 정보나 지식은 지금 당장 수집 활동을 하지 않고 일정 수립에 따른 "자료수집" 단계에서 이루어진다. 수집 요구에 대한 항목들을 활동지에 상세히 기술한다.

이 단계의 활동지는 다음 소단계(계획하기)의 타임라인이나 멘토링에 근거 자료가 될 수 있으므로 구조화된 서식을 활용하여 산출물을 남겨둔다.

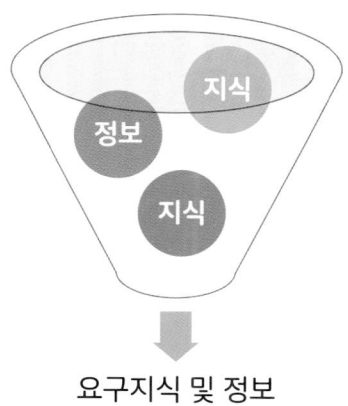

요구지식 및 정보

지식과 정보를 공유하면 필요한 지식을 알게 된다

정보 공유 활동지		소요 시간	40분	준비물	전지, 포스트잇, 색연필
팀명		팀장		일자	20 . . .
주제					

활동 결과	[공유된 지식과 정보]	
	내용	제안자
	[수집활동 요구 지식]	
	내용	제안자

(1) 탐구 방향

활동시간	30분 내외
준비물	종이, 메모지(포스트잇), 색연필, 테이프

주제는 정했지만, 팀원들의 생각 기준과 방향이 다를 수 있다. 이 단계에서는 구체적인 계획을 수립하기 전에 팀원들 상호 간에 프로젝트의 큰 방향성을 설정하는 단계이다.

합의를 통한 프로젝트의 범위나 활동 단계에 대한 세부 일정표를 작성하기 위한 조율의 시간이다. 대안적 방법을 도출하여 최종적인 시제품 제작까지 할 것인지, 아니면 아이디어의 구체성이나 실용성을 타진하기 위한 전문가 인터뷰를 실시하여 결과보고서를 작성할 것인지에 관한 결정이 이루어지는 단계이다.

또한, 최종 목표 외에도 프로젝트의 결과에 따른 성공의 판단 기준이나 프로젝트 수행에 따른 시간적 한계나 가능한 자원 투입의 범위 등의 제약적 요소에 대한 협의도 이루어져야 한다.

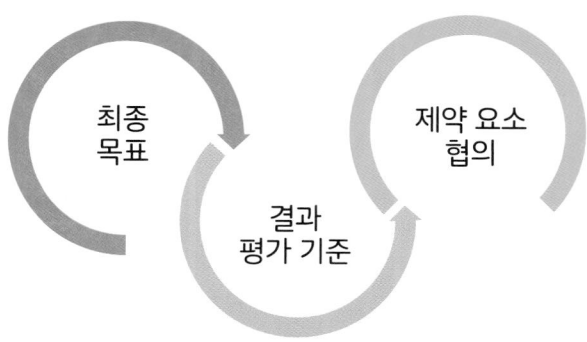

팀 프로젝트 탐구 방향성 검토 단계

탐구 방향		소요 시간	30분	준비물	전지, 포스트잇, 색연필
팀명		팀장		일자	20 . . .
주제					

활동 결과	[최종 목표]
	[최종 결과 평가 기준]
	[수행 제약 요소]

(2) 타임라인

활동시간	30분 내외
준비물	종이, 메모지(포스트잇), 색연필, 테이프

프로젝트의 탐구 방향에서 정해진 목표와 판정 기준, 제약조건을 바탕으로 전체적인 일정을 세운다. 계획의 3요소는 범위와 기한, 우선순위이며 현실적으로 수행 가능한 계획을 수립해야 한다. 단위 프로젝트의 유형에 따라 하루 만에 수행을 완료해야 하는 단기간의 프로젝트의 경우에는 우선순위가 가장 중요하고 1주에서 1달 정도의 단중기 기간이면 프로젝트의 범위, 1달 이상의 중장기 프로젝트는 세 가지 요소를 고르게 고려하여 계획을 수립하여야 한다.

팀장과 시간 관리자는 전체 일정을 상시 확인해야 하며, 자원관리자는 전체 일정에 맞게 투입되는 자원의 제공과 관련된 별도의 타임라인을 작성하는 것이 좋다.

초창기 타임라인을 작성할 때는 가능한 수작업으로 작성하고 2~3회의 경험치가 누적되면 엑셀이나 네이버, 구글 등의 자동화 도구를 사용하기를 권장한다. 본 교과는 도구를 익히는 것이 목적이 아니고 학습자의 사고를 범위를 넓히고 협업을 통한 문제 해결 능력 함양에 목적이 있다.

도구 사용에 집착하다 보면 외형적 꾸밈이나 본질적 문제를 집중하지 못하는 경우가 발생할 수 있으므로 가능한 문제에 집중하기 위하여 도구의 사용은 뒤로 미루는 것을 권장한다.

타임라인 작성은 프로젝트 일정 관리(Time Management)의 근간으로 일정 수립을 통한 일정 관리(Schedule)와 통제(Control)의 도구로 사용된다.

1일차 단기 프로젝트 타임라인 예시

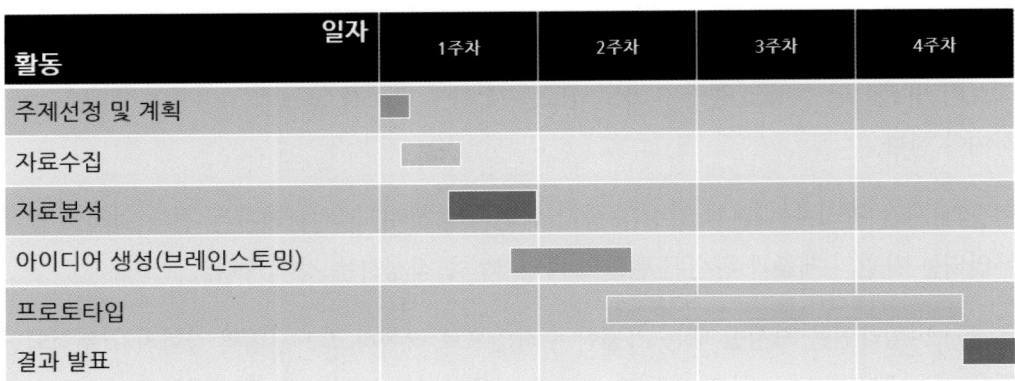

4주차 단중기 프로젝트 타임라인 예시1

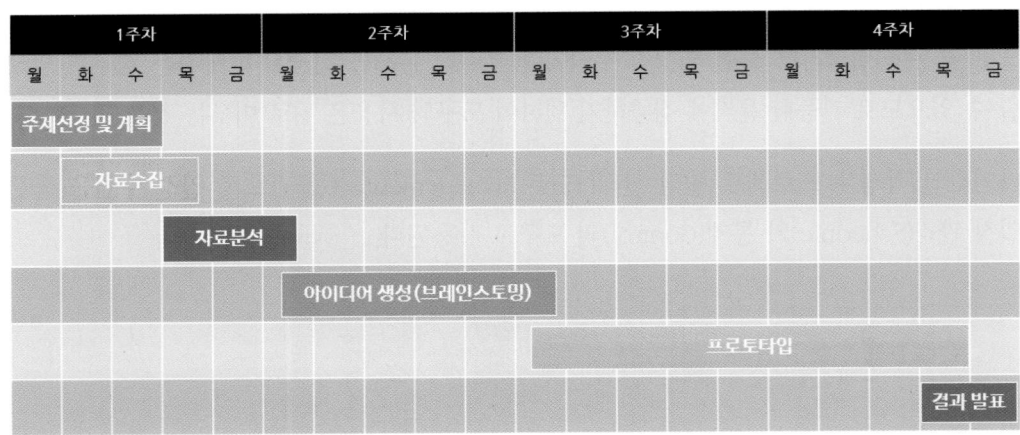

4주차 단중기 프로젝트 타임라인 예시2

타임라인		소요 시간	30분	준비물	전지, 포스트잇, 색연필
팀명		팀장		일자	20 . . .
주제					

활동 결과	활동 \ 시간								

자료의 수집 활동

프로젝트 대부분은 주제 선정 및 아이디어 도출을 위한 브레인스토밍으로 문제를 해결할 수 없다. 문제에 대한 다양한 정보와 지식 수집을 통한 고민과 인내의 반복적인 활동의 고통을 통해서 성취할 수 있다.

자료 수집 활동은 일반적인 자료조사와 설문조사 같은 데스크 조사와 인터뷰나 현장 관찰, 전문가 행동 관찰, 감정과 경험을 인지하기 위한 경험 활동과 같은 현장 조사가 있다.

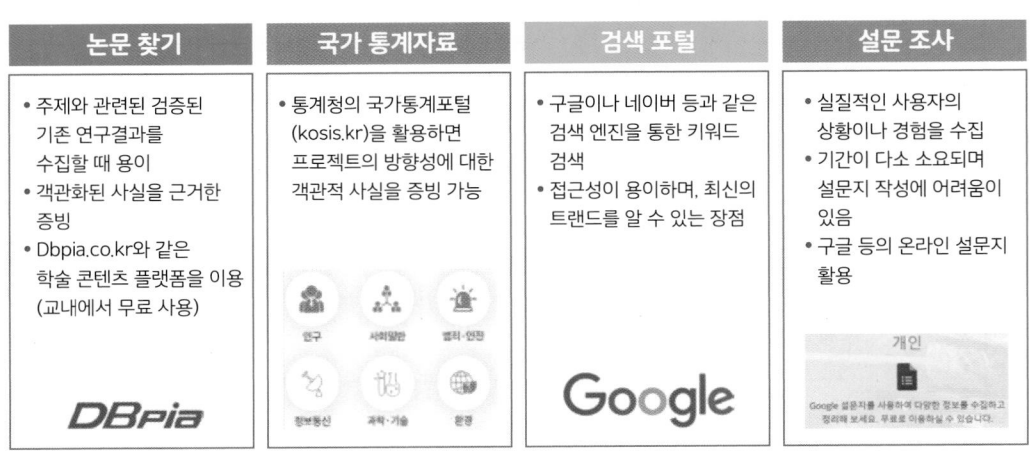

논문 찾기	국가 통계자료	검색 포털	설문 조사
• 주제와 관련된 검증된 기존 연구결과를 수집할 때 용이 • 객관화된 사실을 근거한 증빙 • Dbpia.co.kr와 같은 학술 콘텐츠 플랫폼을 이용 (교내에서 무료 사용)	• 통계청의 국가통계포털 (kosis.kr)을 활용하면 프로젝트의 방향성에 대한 객관적 사실을 증빙 가능	• 구글이나 네이버 등과 같은 검색 엔진을 통한 키워드 검색 • 접근성이 용이하며, 최신의 트랜드를 알 수 있는 장점	• 실질적인 사용자의 상황이나 경험을 수집 • 기간이 다소 소요되며 설문지 작성에 어려움이 있음 • 구글 등의 온라인 설문지 활용

일반적인 데스크 조사 종류

설문조사의 경우는 사전 자료 수집단계에 사용하는 경우도 있지만, 최종적인 결과물에 대한 실사용자의 요구 만족도를 조사하여 피드백하기 위한 용도로 많이 사용된다. 최근에는 네이버 폼이나 구글 설문지를 통해 손쉽게 설문조사를 실시할 수 있다.

자료조사 - 설문지 활동		소요 시간	30분	표본	5명 이상
팀명		팀장		일자	20 . . .
주제					

	설문 문항	평가척도				
		1	2	3	4	5
활동 결과	1.					
	2.					
	3.					
	4.					
	5.					
	6.					
	7.					
	8.					
	9.					
	10.					
	설문 분석					

인터뷰	현장 관찰	전문가 행동 관찰	경험 활동
• 목적과 대상을 미리 선정하고 반드시 질문지를 작성하고 인터뷰를 수행해야 한다.	• 현장을 방문하여 실제 동작이나 시행되는 모습을 보면서 주제와의 연관성을 탐색한다.	• 실제 현업의 전문가의 행동을 마치 그림자처럼 따라 다니면서 관찰하여 주제 및 문제 해결의 실마리를 찾는 방법	• 장애우와 같이 일상적으로 경험치 못하는 상황에 대해 실제 경험을 통하여 문제에 접근하는 방법

현장 조사 종류

인터뷰는 대상에 대한 시행 이전에 인터뷰의 목적과 대상을 명확히 설정하고 대상자에게 묻고자 하는 질문지를 반드시 준비해야 한다. 팀원 상호 간에 질문과 답변을 가상으로 해 보면서 적합한 질문을 찾아야 한다.

현장 관찰의 실제 동작이나 시행되는 모습을 직접 볼 수 있다는 장점은 있지만, 촬영과 내용 기술에서 개인정보의 무단 사용이나 침해에 대한 각별한 주위가 필요하다.

전문가의 행동을 직접 관찰하는 방식은 특정 대상자의 동선과 행동을 그림자처럼 따라가면서 행동의 모순이나 주제와 관련된 연관성을 파악할 수 있다. 또한, 실제 현장 내의 전문가 행동을 토대로 숨겨진 환경적 요소에 대한 사실을 인지할 수 있는 장점이 있다.

경험 활동은 일종의 체험 활동을 통한 자료수집 방법이다. 관찰적 방법에 비해 손쉽게 이행될 수 있지만, 체험자 개인의 성향적 차이에서 오는 자료의 불일치가 발생할 수 있다.

자료조사 - 인터뷰 활동		소요 시간	30분	표본	1명(학과 교수대상)
팀명		팀장		일자	20 . . .
주제					

<table>
<tr><td rowspan="14">활동
결과</td><td>대상</td><td></td><td>시간</td><td>20 . . .</td><td>장소</td><td></td></tr>
<tr><td colspan="6">질문내용</td></tr>
<tr><td colspan="6">1.</td></tr>
<tr><td colspan="6">2.</td></tr>
<tr><td colspan="6">3.</td></tr>
<tr><td colspan="6">4.</td></tr>
<tr><td colspan="6">답변내용</td></tr>
<tr><td colspan="6">1.</td></tr>
<tr><td colspan="6">2.</td></tr>
<tr><td colspan="6">3.</td></tr>
<tr><td colspan="6">4.</td></tr>
<tr><td>인터뷰
분석</td><td colspan="5"></td></tr>
</table>

SECTION 04 자료 분석

수집된 자료가 프로젝트에 의미 있게 사용되기 위해서는 자료의 분석 절차가 수행되어야 한다. 수집된 자료를 공유하면서 자료 속에 숨겨진 의미를 찾아내어야 한다. 또한, 수집된 자료를 체계적으로 정리해야 한다. 이를 통하여 애초 설정한 방향성과 일치성이 있는지 확인하고 수집된 자료의 분석 결과, 애초 방향성과 다르다면, 다시 이전 단계로 돌아가 방향성부터 수정하고 다음 단계로 넘어가야 한다.

특히, 수집 이전에 추측이나 가설을 통하여 방향성을 설정했다면, 이 단계에서 가설이나 추측이 적중함을 증명해야 한다. 단, 수집된 자료를 대상으로 새로운 추측을 가능한 배제하고 불가피하게 추측이 생성되면 새로운 자료수집 단계를 진행해야 한다.

동일한 자료수집 방법을 사용했다고 해도 조사자가 다르면 관점과 대상이 달라지기 때문에 팀원들의 수집 정보를 경청하는 관점에서 공유해야 한다. 차이점이 존재한다면, 대상의 특성이나 질문 형식의 차이점을 주의해서 살펴보고 하나 된 결론으로 활동지에 기술한다.

또한, 수집된 자료가 방대하고 단순한 대화로서 공유하기 힘들 경우에는 메모지와 포스트잇, 색연필, 이미지 등을 이용하여 넓은 종이에 시각적으로 표현하는 방법이 좋다.

우선순위나 그룹, 관점의 차이, 방법의 차이 등을 분류하여 표시하는 것이 좋으며 자료의 분석은 분류작업에서 분석의 품질이 결정된다.

이러한 분류작업에 시각적인 방법이 유용하게 사용될 수 있다. 가령, 동일한 그룹의 정보는 동일한 색상의 색종이나 메모지를 이용하면 좋다.

디자인씽킹은 인간 중심의 문제 해결 방법론이다. 그래서 사물에 대한 문제보다 인간이 겪고 있는 특정 문제를 해결하고자 할 때 효과성이 높다. 이 때문에 자료를 분석할 때도 특정 사람을 대상으로 수집된 정보를 정리하고 분석한다면 문제의 표준적인 패턴을 찾을 수 있고, 문제의 패턴을 인지할 수 있다면 규칙화된 해결 방법도 도출할 수 있게 된다.

팀원 중의 한 명이나 가상의 인물을 대상으로 아침 기상부터 밤 취침 때까지의 타임라인 상에서 발생할 수 있는 사건과 더불어 주제의 과점에서 감정 변화를 추이 곡선으로 나타내 보는 것이다. 이를 **고객 여정 맵**(Customer Journey Map)이라고 한다.

즉, 대상자가 서비스나 상황을 경험하는 과정을 시각화하는 것이다. 이러한 시각화를 통해 대상자 측면에서 순간의 이해와 포착으로 새로운 방안이나 문제점을 발견할 수 있게 된다. 더 나은 제품을 개발하고자 한다면, 기존의 상용적인 제품과 비교하면서 맵을 그리면, 차별적인 기능이나 서비스, 마케팅 방법을 찾아낼 수 있다.

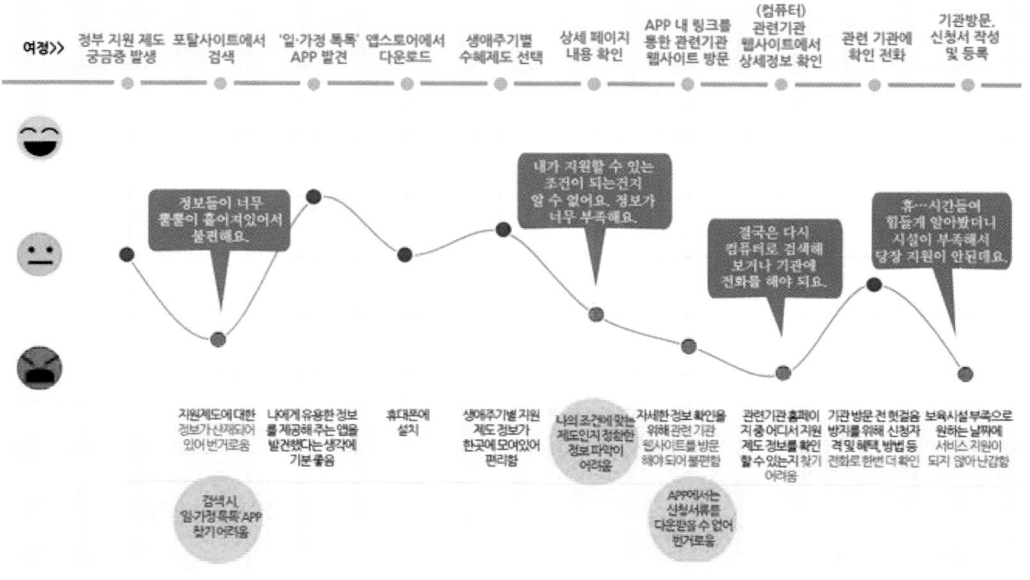

출처:https://enbeene.wordpress.com/2015/07/

위 그림의 하단 노란 타원 부분을 대상자의 불편함을 초래하는 **Pain Point**라고 한다.

자료조사 - 고객 여정 맵		소요 시간	30분	대상고객	1명(학과 교수대상)
팀명		팀장		일자	20 . . .
주제					

활동 결과	여정				
	감정 ☺				
	감정 ☺				
	감정 ☹				
	Pain Point				
	결과 분석				

현실 상황 속에서 특정 서비스를 받는다고 가정해 보자. 해당 서비스의 직접적인 관여자는 고객과 종업원이다. 하지만 해당 서비스는 종업원 외에도 수많은 사람의 영향으로 이루어진다. 종업원은 서비스를 위한 최종 관여자일 뿐이다. 그래서 **이해관계자 맵(Stakeholder Map)**은 이렇게 직간접적으로 관여하는 모든 관계자를 확인하는 방법을 통하여 문제 해결의 숨겨진 실마리를 찾는 방법이다.

수집된 자료를 분석하기 위하여 맵의 개요를 통하여 이해관계자에 대한 쟁점을 부각시키고 공통된 관심사를 통하여 문제점에 대한 정보를 효과적으로 배치할 수 있다.

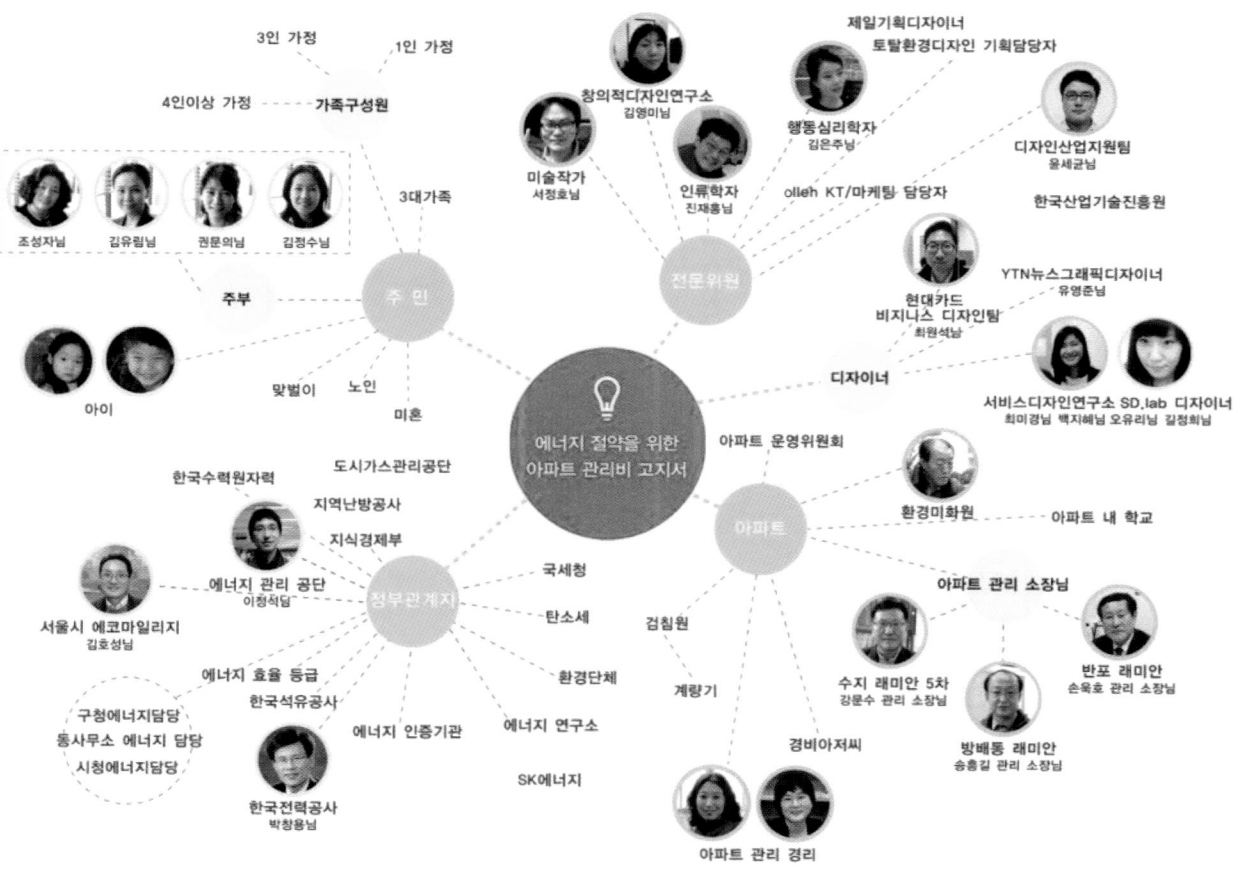

이해관계자 구성맵 : 에너지 절약을 위한 아파트 관리비 고지서의 디자인

출처 : http://www.wowideas.co.kr/dd_file/4809504d-a425-401c-9f2a-16851619fa81/20150917/phpyGam9D

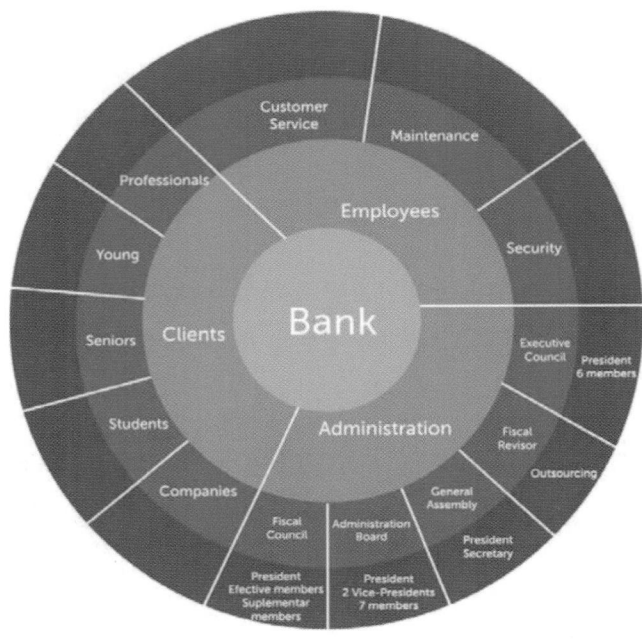

Bank Project, UMa, 2008

출처: www.filipajervis.com/new/self_banking_files/Final_Report.pdf

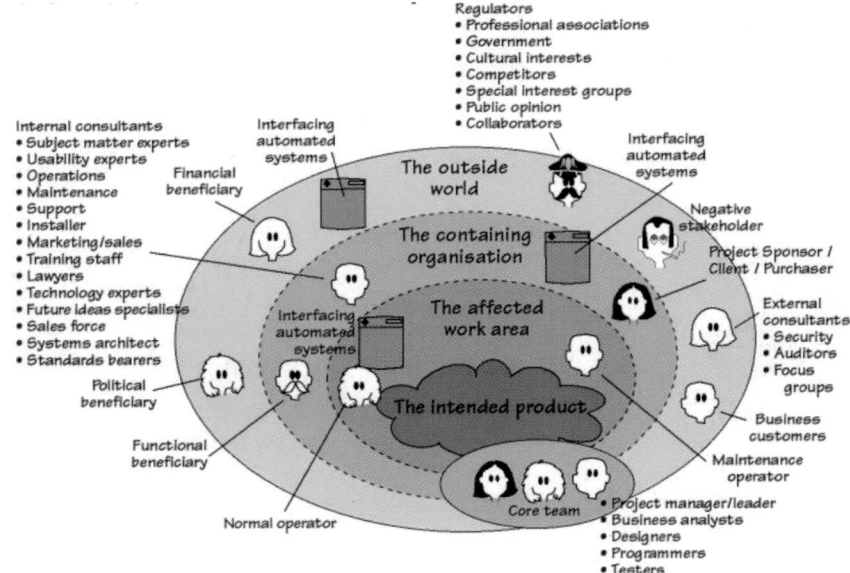

A stakeholder Map for the Library Loans project

출처 : http://www.volere.co.uk/sociotechnical.htm

자료조사 - 이해관계자 구성맵	소요 시간	30분	팀명	

주제	

활동 결과	

직접 관계자 :

간접 관계자 :

최종 분석	

아이디어 생성

분석된 내용을 통한 아이디어 생성은 이미 2장과 3장에서 다양한 방법을 설명하였다. 분석을 통하여 실질적인 문제를 도출하고 해당 문제에 대한 심도 있는 확산적 사고 활동이 요구된다.

먼저, 브레인스토밍을 통한 확산적 아이디어 산출이 필요하다. 그리고 수렴적 사고를 통하여 아이디어를 선정한다. 마인드맵은 "생각 지도"로 상황에 따른 변수를 파악하고자 할 때 유용하다.

그리고 브레인라이팅은 다소 소극적이고 적극성이 부족한 팀원들이 많을 때 사용하기에 유용하며 스캠퍼 기법은 7가지의 요소에 문제를 강제로 연결하여 아이디어를 도출하는 기법이다.

브레인스토밍	• 다수의 사람들이 자유롭게 의견을 개진할 수 있다. • 많은 양의 아이디어를 산출하는 것이 목표
브레인라이팅	• 침묵의 브레인스토밍으로 내성적인 참여자가 많을 때 유용
속성 열거법	• 대상의 특징을 기반으로 특징을 변화시켜 새로운 아이디어를 얻는 방법
스캠퍼	• 7가지 요소를 기준으로 문제를 강제 연결하는 방법
기회의 원	• 문제의 속성을 결합하는 과정으로 아이디어를 도출하는 강제 연결 기법
마인드맵	• 방사형으로 생각을 시각화하여 다른 사람들을 쉽게 이해시키는 도구

대표적인 확산적 사고기법

브레인스토밍의 우수사례

문제 정의   폭설로 인한 전깃줄 끊어져 복구에 비용이 너무 많이 든다.

브레인스토밍 과정

💡 전깃줄 막대기로 쳐서 치우기 👎 너무 힘들다

💡 전봇대를 쳐서 치우기 👎 사람이 하기 힘들다

💡 곰이 치우치게 하자 👍 전봇대 위에 꿀단지를 놓자

💡 어떻게 전봇대 위에?

💡 헬리콥터 👎 안돼, 바람때문에 꿀단지가 날아가.

💡 어..헬리콥터를 전깃줄 위로 날게 하자! 그럼 눈이 바람때문에 쌓이지 않겠네!

브레인스토밍 결과   헬리콥터를 이용하여 전깃줄 위의 눈을 날려, 복구 비용을 절감

브레인스토밍 우수사례

위 사례처럼 곰, 꿀단지, 헬리콥터의 사고의 전환을 확인할 수 있다. 엉뚱한 곰과 꿀단지의 실마리가 헬리콥터로 진화하는 것을 확인할 수 있다. 브레인스토밍이나 확산적 사고기법을 사용할 때는 아이디어의 수준과 현실 가능성은 배제하고 많은 아이디어를 산출할 수 있도록 한다.

스캠퍼 사례

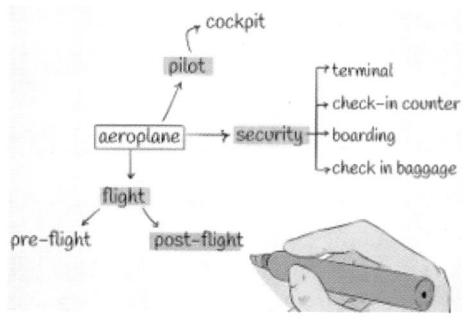

1. 주요 키워드 작성

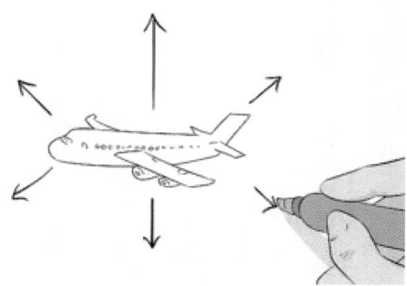

2. 중심 키워드 및 이미지

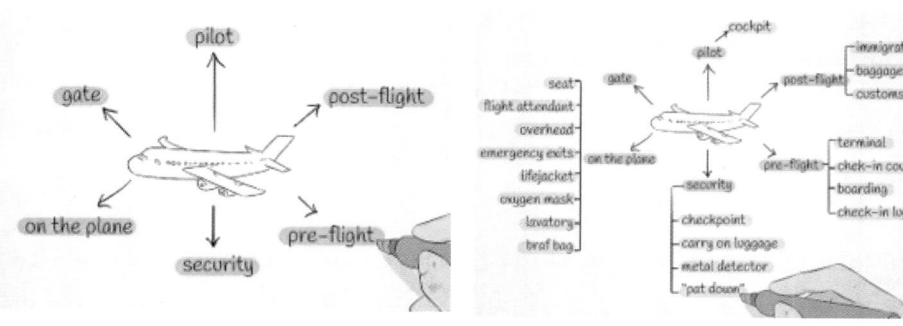

3. 첫번째 관심 키워드 작성

4. 첫번째 가지 및 레이블 작성

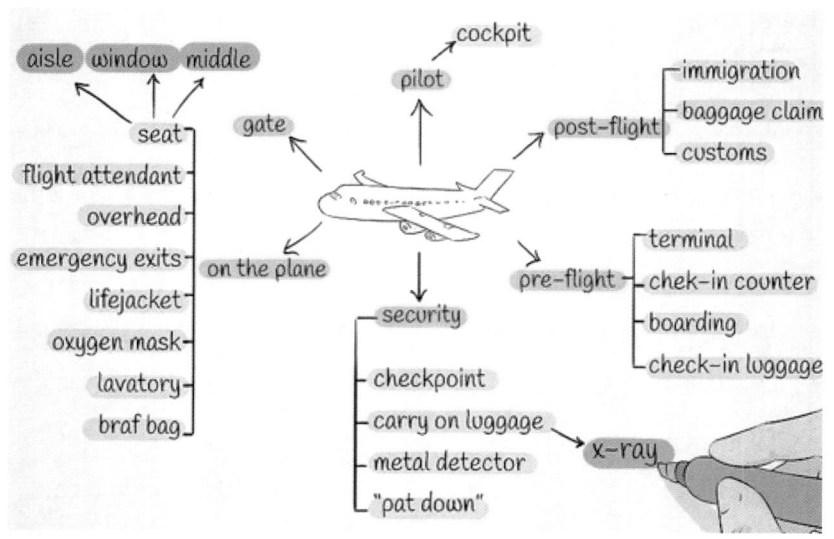

5. 다음 가지로 옮겨가기(반복)

마인드맵 작성

출처 : https://www.wikihow.com/Make-a-Mind-Map

PMI 기법	• 장점과 단점, 흥미로운 점을 중심으로 아이디어를 평가하는 방법
ALU 기법	• 강점, 제한점, 독특한 특징을 이용하여 아이디어를 평가한다. • 매우 독특한 새로운 대안이 요구될 때 유용하다.
하이라이팅	• 제시된 아이디어들의 수를 축소시키고자 할 때 유용 • 유사한 그룹으로 분류하여 선택의 용이성을 확보
평가행렬법	• 평가준거를 제시하고 체계적인 평가로 아이디를 선정하는 방법
쌍비교 분석법	• 준거들을 한 쌍으로 그룹 단위로 비교 및 평가하여 우선순위를 결정하는 방법
스크리닝 매트릭스	• 많은 아이디어를 질적인 부분에 따라 분류 작업을 시행하고 우선순위를 결정하는 기법

대표적인 수렴적 사고기법

수렴적 사고는 확산적 사고로 산출된 많은 아이디어 중에서 최선을 아이디어를 선택하기 위한 사고 방법이다. 주로 평가 준거를 설정하고 준거에 다른 평가를 통하여 우선순위를 정하는 기법들이다. 또한, 아이디어가 많으면 특정 준거를 기준으로 아이디어를 분류하고 분류된 아이디어를 결합 및 조합하여 아이디어 수를 줄이기 위한 목적으로 행해지기도 한다.

▌ 대학생활을 보다 능률적으로 할 수 있는 방법

아이디어	평가 준거				
	학습	건강	인성	환경	총계
12시~1시 사이는 수강신청을 하지 않는다.	7	9	7	6	29
Study group을 결성하여 공부한다.	8	8	10	10	36
테스트를 하여 수준별 분반을 한다.	8	7	5	6	26
Tutor-Tutee제도를 적극 활용한다.	9	6	6	8	29
강의 시간을 5분 단축한다.	6	7	6	5	24
강의실 벽면을 친환경 페인트로 칠한다.	5	8	7	10	30

평가행렬법 사례

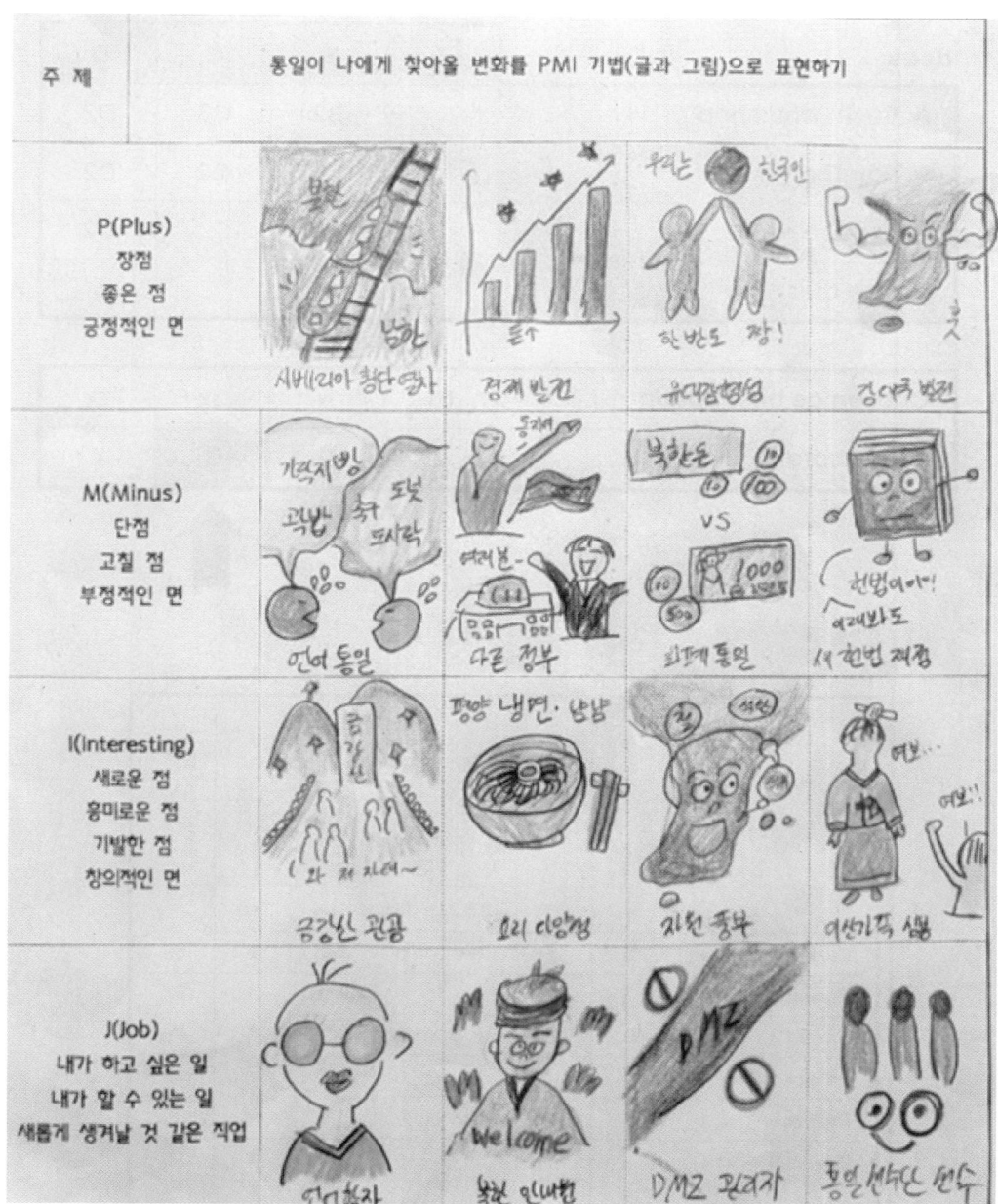

초등학교 3학년이 그린 PMI 기법

출처 : https://band.us/band/51457618/post/430401499

Ideas:	A	B	C	D
A. Sushi workshop		B2	C3	D2
B. Paintball			C2	D2
C. Escape room				C2
D. Pub quiz				

	A	B	C	D
Chosen as best option	0x	1x	3x	2x
Total score	0	2	**7**	4

쌍비교 분석법 사례

Criteria / Weight	Stay within core competencies	Strategic fit	Urgency	25% of sales from new products	Reduce defects to less than 1%	Improve customer loyalty	ROI of 18% plus	Weighted total
	2.0	3.0	2.0	2.5	1.0	1.0	3.0	
Project 1	1	8	2	6	0	6	5	66
Project 2	3	3	2	0	0	5	1	27
Project 3	9	5	2	0	2	2	5	56
Project 4	3	0	10	0	0	6	0	32
Project 5	1	10	5	10	0	8	9	102
Project 6	6	5	0	2	0	2	7	55
⋮								
Project *n*	5	5	7	0	10	10	8	83

스크리닝 매트릭스 사례

SECTION 06 프로토타입 Prototype

1 프로토타입의 이해

프로토타입은 아이디어 또는 해결책을 기능 위주로 빠르게 제작하여 시각적인 요소로 표현하는 것이다. 실제 제품이 나오기 전에 아이디어의 검증을 위한 기초적이고 표준적인 요소를 이루어진 원형에 해당한다.

프로토타입은 디자인씽킹 절차의 최종 단계로서 초기에는 문제의 요구사항 반영을 위한 가장 기본적인 요소로 작성되며 사용자와의 의사소통을 통해 진화되는 절차를 따른다. 문제 해결자와 제안자 간의 요구사항 반영의 이해 차이를 줄이는 방법으로 다양한 개발 방법론에서 활용되고 있다.

실제 사용자가 해당 시제품을 사용해 보게 함으로서 기능의 추가, 변경 및 삭제 등을 요구하면 이를 즉각 반영하여 재설계 및 디자인씽킹의 이전 단계로 피드백되는 역할도 하게 된다.

이미 아이디어에 대한 분석과 결정 단계에서 선정된 아이디어를 기반하기 때문에 기능별 프로토타입에 대한 검증작업을 하고 통합된 프로토타입으로 최종 평가를 진행하는 것이 좋다.

또한, 프로토타입은 선정된 아이디어의 실현 가능성이나 문제 요구사항 만족과 관련된 확인 작업이기 때문에 너무 많은 자원과 시간을 소비할 필요는 없다. 가능한 아이디어의 가용성을 타진하는 평가 요소를 설정하여 반복적으로 결과를 도출하는 것이 문제의 근원적 요소에 집중할 수 있다.

앞서 언급한 바와 같이 프로토타입이 실제 현장에서 사용되는 모든 기능을 가질 필요는 없으므로 상황에 따라, 구성도나 디자인적인 요소만으로 작성될 수 있다. 물론, 공과계열 학생들은 아두이노 등의 물리적인 동작을 보일 수 있는 시제품을 통한 검증이 유리할 것이다.

프로토타입은 아이디어에 대한 불확실성을 해결하는 방법이다. 프로토타입을 테스트하고 이해관계자와 사용자로부터 관련 피드백을 받아 피드백을 구현하고 문제를 가장 잘 해결하는 디자인을 얻을 때까지 프로세스를 반복한다.

IDEO의 CEO인 Tim Brown은 아래와 같이 프로토타입의 중요성을 역설하고 있다.

> "속도를 높이기 위해 속도를 낮출 수 있다. 아이디어를 프로토타이핑하는 데 시간을 할애함으로써 너무 일찍 복잡해지거나 약한 아이디어를 너무 오래 고수하는 등 비용이 많이 드는 실수를 피할 수 있다."

그리고 프로토타입의 도구는 무엇이든 가능하다. 종이에 스케치해도 되고, 미니어처를 만들어도 된다. 사용자의 감정과 느낌을 불러일으키는 경험을 만들 수 있다면 무엇이든 관계없다.

프로토타입의 주목적은 무언가를 탐구하고 평가함으로써 문제에 집중된 대화를 시작하는 것이다. 멋진 프로토타입을 만드는 것은 중요하지 않다. 사용자와 함께 테스트하여 얻는 귀중한 피드백은 매우 중요하며 문제 해결에 가까워 질 수 있다.

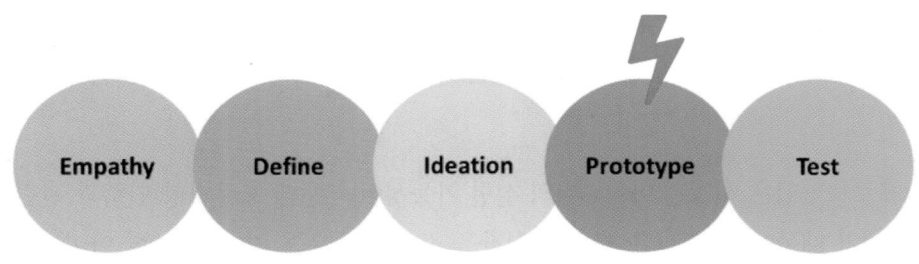

Design Thinking

디자인씽킹의 핵심은 프로토타입 단계이다

2 프로토타입 프로세스의 필수 단계

1. 디자인의 명확성 확보

프로토타입을 통해 주요 질문에 답할 수 있다. 디자인하는 이유는 무엇인가? 누구를 위해 제품을 설계하고 있는가? 당신은 무엇을 디자인하고 있는가? 제품을 디자인 할 수 있는 가?

2. 조기 피드백

조기 피드백은 제품 개발 프로세스의 궁극적인 본질이다. 특정 기능을 재설계할지 또는 최종 제품에서 제거할지에 대해 필요한 결정을 내리는 데 도움이 된다.

3. 시간 및 비용 절약

사용자 요구사항을 이해하고 초기 개발 단계에서 유용성을 테스트한다. 적은 노력과 투자로 초기 단계에서 새로운 디자인을 반복하고 시도 할 수 있다.

4. 기술의 타당성 평가

설계의 기술적 위험은 종종 핵심 기술 구성 요소가 요구사항과 통합되는지 확인하여 프로토타입 단계를 통해 완화된다. 따라서 타당성에 대한 자세한 이해를 도출 할 수 있다.

5. 커뮤니케이션 구축

모든 관계 구성원과 협력하여 사용자가 더 높은 평가를 받은 기능을 이해하고 마케팅 활동에 피드백을 사용할 수 있다.

3 프로토타입의 종류

1. 충실도가 낮은 타입

이 타입은 초기 단계에 적합한 유형이다. 적은 노력으로 매우 빠르게 변경하는 데 도움이 된다. 스케치하여 실시간으로 사용자의 피드백을 받을 수는 있는 것도 충실도가 낮은 프로토타입에 해당한다. 몇 시간 또는 몇 분 안에 프로토타입의 변경 사항을 구현할 수 있다.

저렴하고 빠르며 고급 기술이 필요하지 않다. 하지만, 상호작용이 제한적이고 기능이 부족하므로 가장 중요한 아이디어의 핵심 요소만 표시하는 데 적합하다. 대부분 일회용으로 사용되는 경우가 많다.

이 유형은 팀과 사용자가 제품을 더 쉽게 이해할 수 있다. 그러나 개발 주기로 이동하면 기능 평가를 위해 유지 관리하기가 어려워진다.

2. 충실도가 높은 타입

이 타입은 최종 제품으로 오인될 만큼 최종 제품과 흡사한 결과물을 가진다. 매우 기능적이고 매력적이지만 구축하는 데 오래 걸리고 비용이 많이 소요된다. 그리고 제품의 실제 경험을 제공할 수 있고 이미 여러 번의 사용자 피드백을 받은 다음에 제작되는 경우가 많다.

무엇을 만들 것인지에 대한 좋은 아이디어를 얻은 후에는 더 현실적인 버전의 프로토타입으로 전환될 것이다. 그래서 이 유형은 현실적인 버전이며 프로젝트의 후반 단계에서 구축된다.

일반적으로 대화형이며 기능적이다. 사용자가 실제 최종 제품에 대해 가질 수 있는 상호작용을 모방하므로 구체적인 피드백을 제공한다.

충실도가 낮은 프로토타입	충실도가 높은 프로토타입
- 스케치 - 페이퍼 드로잉 및 모형 - 와이어 프레임 - 레고	- 고품질 와이어 프레임 - 3D 프린팅 - 아두이노 회로

프로토타입의 종류

- 스케치 : 아이디어의 초안일 뿐이다. 전문가일 필요는 없으며 포스트잇이나 냅킨에서도 할 수 있다. 컴퓨터를 사용하기보다 쉽고 빠르며 스케치로 사용자 흐름의 단계를 설명하고 기본 구조를 보여준다.
- 페이퍼 프로토타이핑 : 종이에 전체적인 구조를 도식화하는 방법으로 시간을 낭비하기 전에 여러 번 만들고, 버리고, 반복 할 수 있다. 종이 프로토타입은 실제 제품에 대해서

도 앱을 개발할 때 일련의 사용자 상호작용을 시뮬레이션하는 데 유용하다.

- 클릭 와이어 프레임 : 제품의 다양한 레이아웃을 표현한 것이다. 여러 정적 와이어 프레임을 함께 연결하여 생성되는 가장 간단한 형태의 인터랙티브 프로토타입이다. 디지털 인터페이스의 시각적 레이아웃을 만들고 다른 와이어 프레임 및 탐색 요소로 연결되는 이미지, 하이퍼 링크 단추를 포함하여 상호작용을 만든다. 소프트웨어 도구가 필요하지 않으며 필요한 것은 펜 (색깔), 종이 (색깔), 접착제이다.

- 레고 : 레고 블록을 사용하여 상상력을 자극하고 프로토타입을 빠르게 만든다. 사용자 피드백을 기반으로 한 대체 설계로 테스트, 해체 및 재구성한 후 다시 테스트한다. 레고라고 해서 장난감이라고 생각하면 오산이다. MIT 연구자들은 정확하고 일관된 레고 브릭을 사용하여 미세한 유체 펌프 및 분류기와 같은 매우 정확한 과학 시스템을 만들었고 IDEO는 레고를 사용하여 복잡한 인슐린 주사 장치의 프로토타입을 제작하였다.

- 3D 프린팅 : 3D 프린팅을 사용하면 이전에는 존재하지 않았던 제품을 만들 수 있다. 제작하고자 하는 객체가 디지털화되면 고객 요구에 따라 쉽게 저장, 운송 및 모델링 할 수 있으며, 원하는 만큼 피드백을 받고 설계를 반복 할 수 있다. 실제 상품은 커스터마이즈 하기가 매우 어렵지만, 디지털 상품의 경우 디지털 모델링을 사용하여 화면에서 모델을 변경하는 것만으로도 커스터마이징이 쉬워진다. 그리고 3D 프린팅과 레고를 결합하여도 우수한 결과물을 만들 수 있다.

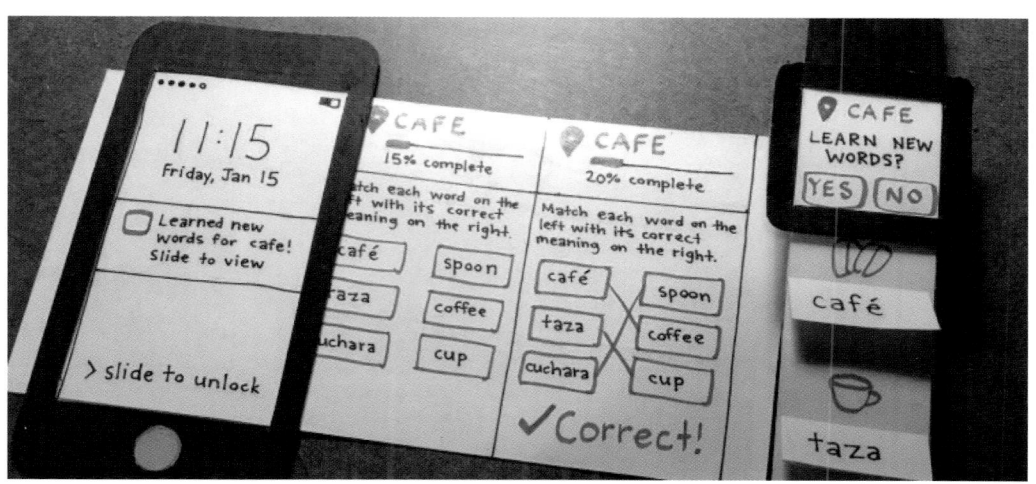

클릭 와이어 프레임 - 앱 개발 아이디어에 대한 프로토타입

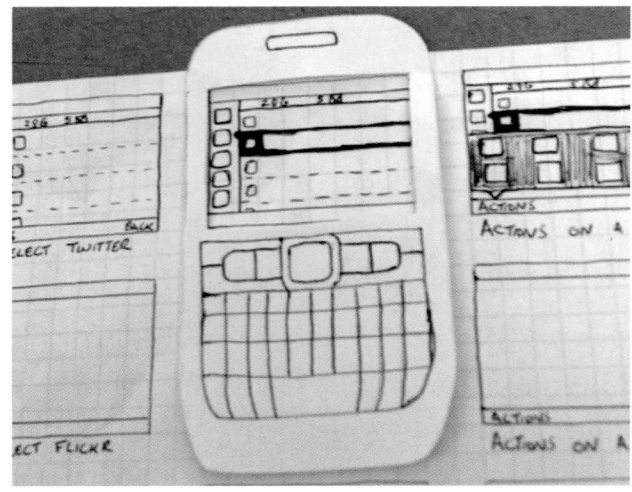

페이퍼 프로토타이핑 - 화면 레이아웃을 위한 프로토타입

출처 : https://www.feedough.com/what-is-a-prototype/

스케치 - 프로토타입을 위한 스케치

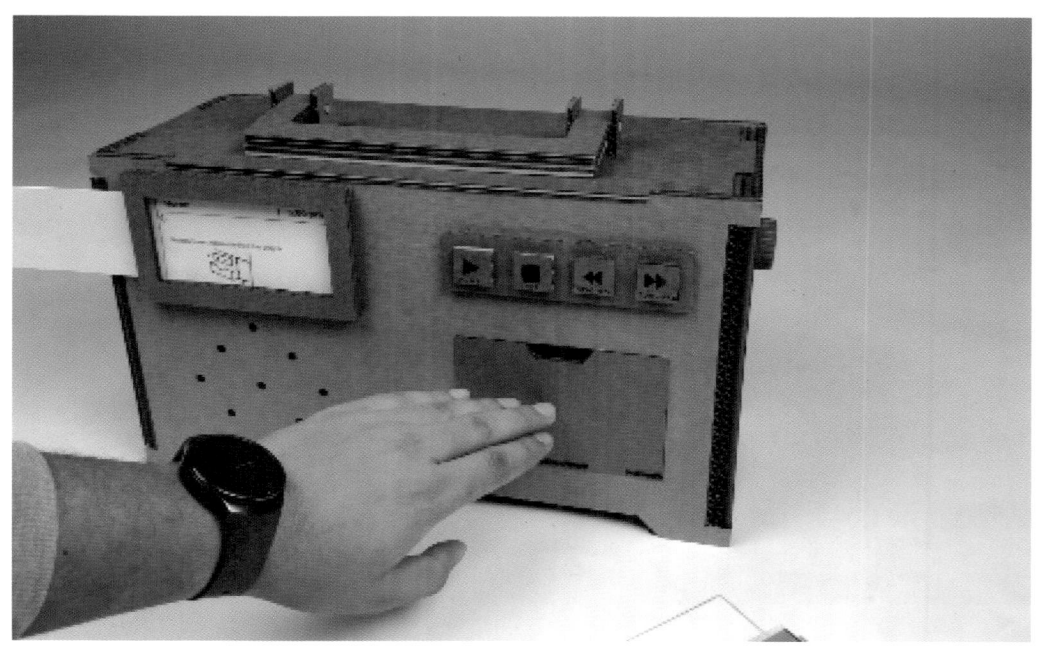

페이퍼 프로토타이핑 – 프로토타입을 위한 스케치를 통한 제작

출처 : https://www.ruturaj.design/cassette.html

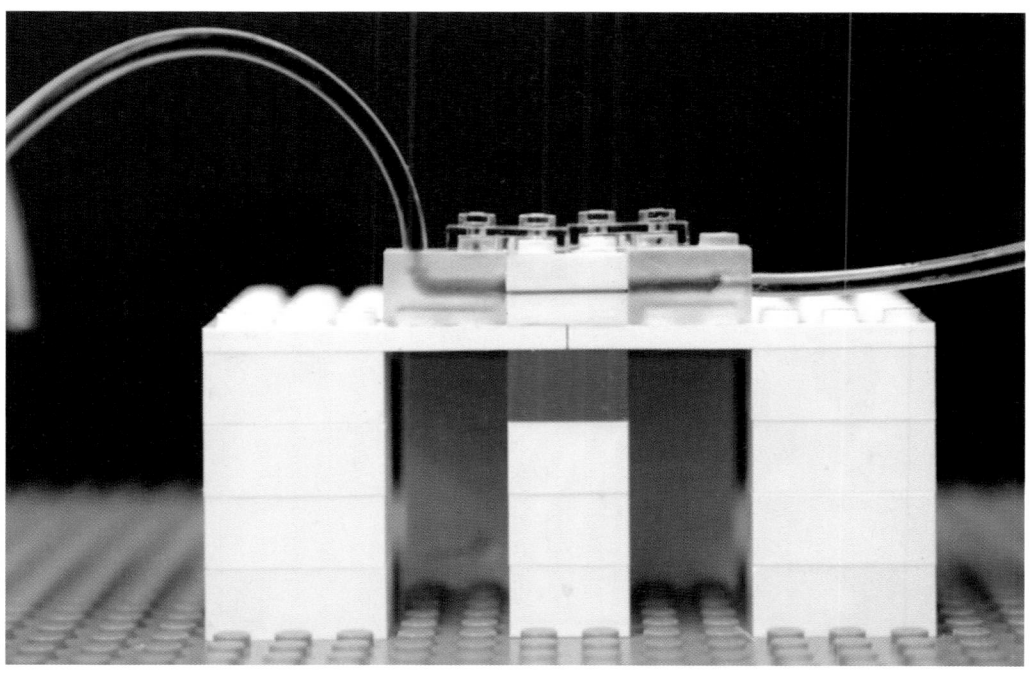

레고 – 프로토타입을 위한 레고 활용

레고와 3D 프린팅을 결합하여 만들어진 결과물

출처 : https://gizmodo.com/replacing-parts-of-3d-printed-models-with-lego-speeds-u-1569310877

3D 프린팅을 이용해 만들어진 제트엔진 모델

출처 : https://www.yukti.io/8-important-prototyping-methods-with-examples/

● 디자인씽킹과 문제분해 Design Thinking & Decompose the Problem

아두이노를 활용한 프로토타입

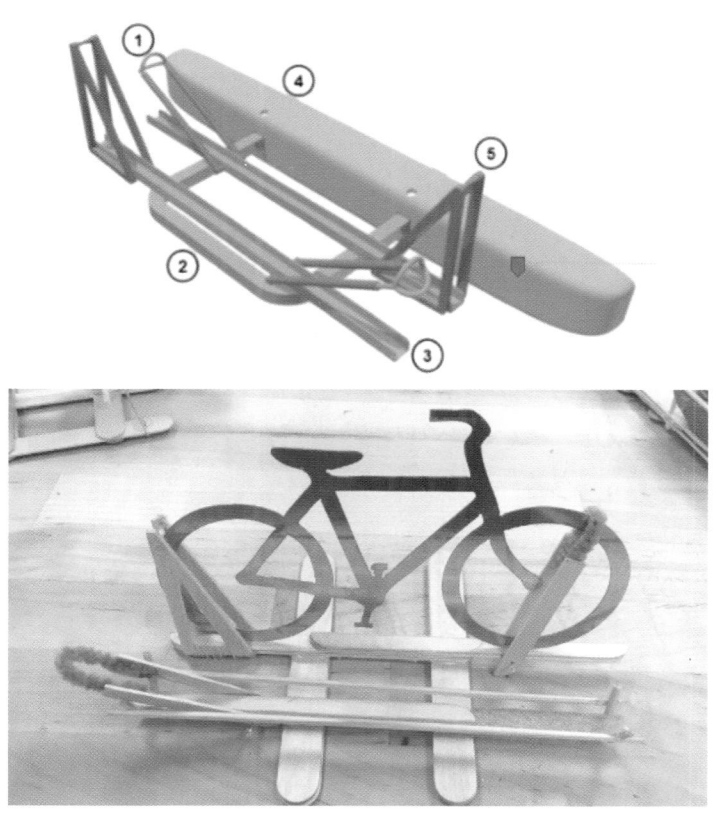

자전거 거치대를 위한 설계도면과 제작 모형

출처 : https://www.moorepants.info/blog/lightweight-prototyping.html

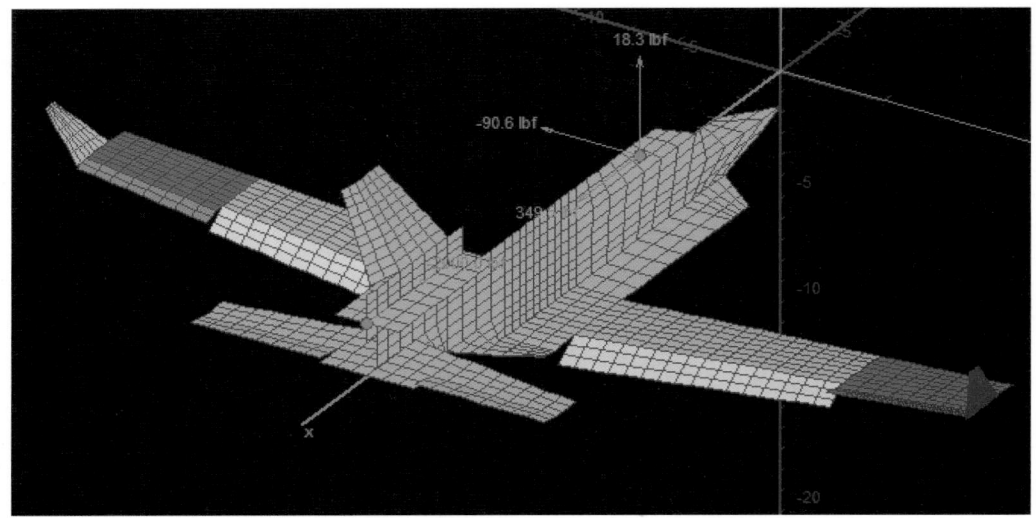

디지털 프로토타입의 예시

건축물과 관련된 프로토타입

출처 : https://shanghaijuwei.en.ecplaza.net/products/architectural-scale-model-builder_2924335

프로토타입은 고도로 실험적이고 사고력을 구축하고 인공물로 사람들을 참여시키는 데 중점을 둔다. 더 나은 솔루션에 도달하는 데 도움이 되는 방식으로 피드백을 도출하는 데 집중해야 한다. 디자인씽킹의 중요한 특성은 빠르게 변화하는 상황에 부합되는 유연성과 적응성이다.

그리고 프로토타입을 제작하고 테스트할 때는 다음 세 가지 기준을 충족하는지 확인해야 한다.

- 요구 만족도 : 주어진 문제를 해결하기 위한 수용성을 가졌는지 확인
- 사용성 : 사용 대상자가 이용 방법을 이해할 수 있고 어떻게 동작하는지 알 수 있는지 확인
- 내용 충실성 : 대상자가 프로토타입의 구성을 이해하는지 확인

프로토타입		소요 시간	30분	준비물	전지, 포스트잇, 색연필
주제	상상하는 비행기 스케치			일자	20 . . .
활동 결과					

프로토타입	소요 시간	30분	준비물	전지, 포스트잇, 색연필
주제	**나만의 도전 과제**		일자	20 . . .

활동 결과	도전과제명	스케치
	사용대상	
	문제점	스케치설명

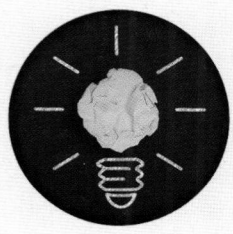

Design Thinking & Decompose the Problem